CURSO DE ESP
PARA EXTRANJEROS

nuevo

inicial **2**
LIBRO DEL ALUMNO

Virgilio Borobio

Proyecto didáctico
Equipo didáctico Ediciones SM

Autor
Virgilio Borobio
Con la colaboración de Ramón Palencia

Diseño de interiores
Leyre Mayendía y Alfredo Casaccia

Diseño de cubierta
Alfonso Ruano y Julio Sánchez

Maqueta
Estudio editorial Alfredo Casaccia, Diego Forero Orjuela y Tjade Witmaar

Fotografías
Créditos Fotográficos
A. Crickway, M. Crabstree, M. Shenley, T. Wood / CAMERA PRESS - ZARDOYA; AGE FOTOSTOCK; AISA; Alan Pappe; Albert Heras, R. Raventos Klein, Kurwenal / PRISMA; Andrés Marín; Archivo SM; B. Ashok; C. Rubio, Carrusan, D. Joyner / CONTIFOTO; Carlos Roca; CMCD; David Buffington; DIGITALVISION; Don Tremain; Doug Menuez; Emma Lee; Fernando López Aranguren; FIRO FOTO; Frederic Cirou; G. Sánchez, J.L. Jaén, Javier Prieto, / COVER; Ignacio Ruiz Miguel; Javier Calbet; J. M. Navia; J. M. Ruiz; Jose Vicente Resino; J. Slocomb, TOPHAM / CORDON PRESS; Jack Hollingsworth; John A. Rizzo; Julio Sánchez; KEVIN PETERSON PHOTO; KEYSTONE / INCOLOR; Luis Alcalá / EFE; Luis Castelo; Marieta Pedregal; Mark Shelley; Martial Colomb; Olivier Boe; Pedro Carrión; SEXTO SOL / PHOTODISC; PHOTOLINK; RADIAL PRESS; Russell Illig; Sonsoles Prada; Scott T. Baxter; Ginies / SIPA PRESS; STOCK PHOTOS; STOCKTREK; Xurxo Lobato; Yolanda Álvarez.

Ilustración
Julio Sánchez

Coordinación Técnica
Ana García Herranz

Coordinación editorial
Aurora Centellas
Susana Gómez

Dirección editorial
Michelle Crick

Comercializa

Para el extranjero:
Ediciones SM — Joaquín Turina, 39 — 28044 Madrid (España)
Teléfono 91-422 88 00 — Fax 91-508 99 27

Para España:
CESMA, S.A. — Aguacate, 43 — 28044 Madrid (España)
Teléfono 91-508 86 41 — Fax 91-508 72 12

ISBN: 84-348-7666-3 / Depósito legal: M- 36900-2001
Gráficas Monterreina, SA / Impreso en España - *Printed in Spain*

introducción

NUEVO ELE inicial 2 es un curso de español dirigido a estudiantes **adolescentes y adultos**, y diseñado para ayudar a alcanzar un grado de competencia lingüística que permita la comunicación eficaz:

- Para poder responder en cualquier situación de lengua hablada (conversación informal, trato en el ámbito profesional, etc.).

- Para poder comprender textos escritos (mensajes cortos, artículos periodísticos, lecturas técnicas, literatura, etc.).

- Para poder acceder a cualquier examen oficial de español como lengua extranjera (D.E.L.E., escuelas oficiales de idiomas o cualquier universidad).

Este libro está estructurado en tres bloques, cada uno de ellos formado por cinco lecciones más otra de repaso. Cada lección tiene un centro de interés diferente y siempre funcional.

Muchas lecciones cuentan con un apartado en el que, bajo el título de «Descubre España y América Latina», se incluyen temas relacionados con ambas culturas y, relacionados en su mayoría con los contenidos lingüísticos y temáticos tratados en dichas lecciones.

Todas las lecciones presentan un cuadro final («Recuerda») donde se enuncian las **funciones comunicativas** tratadas en las mismas, con sus respectivos exponentes lingüísticos y los aspectos gramaticales que éstos conllevan.

Al final del libro se incluye un resumen de todos los **contenidos gramaticales** del curso («Resumen gramatical»).

¿Cómo utilizar este libro?

Nuevo ELE inicial 2 consta de 15 lecciones organizadas en torno a tres grandes bloques, a cada uno de los cuales sigue un Repaso en el que se revisan los principales contenidos tratados anteriormente. Partiendo de una visión comunicativa de la lengua y del proceso de aprendizaje, se ofrecen al estudiante muestras de lengua y actividades que le permiten adquirir las herramientas necesarias en un nivel inicial para desenvolverse con facilidad en situaciones de comunicación diversas. Al mismo tiempo se propicia la autonomía del alumno mediante actividades en las que se potencia el uso de estrategias.

Presentación. Práctica de las destrezas orales

En la primera página se presentan al estudiante los **objetivos comunicativos** que va a alcanzar en la lección para que desde el primer momento se haga consciente de ellos.

La **presentación** del tema se realiza mediante fotografías, dibujos y muestras de lengua que, principalmente, tienen como objetivo activar los conocimientos previos del estudiante y anticipar los nuevos contenidos que se van a trabajar a lo largo de la lección.

En las siguientes páginas se introducen las actividades mediante las que, de forma gradual, el estudiante va adquiriendo los contenidos lingüísticos y léxicos necesarios para alcanzar los objetivos especificados en la lección. Son fundamentalmente actividades de comprensión y expresión oral que el estudiante realiza mediante la interacción con sus compañeros en el aula, pero también actividades en las que trabaja de forma individual para fijar contenidos específicos.

Cuadro de pronunciación: con actividades en las que se trabajan aspectos como el acento, la pronunciación de sonidos concretos o la entonación a partir de un modelo de lengua.

Cuadro gramatical: en el que, de forma clara y sencilla, se recogen los principales contenidos lingüísticos, como un apoyo al que el estudiante puede acudir si lo necesita para realizar las actividades propuestas.

La sección *¿Lo tienes claro?* propone una **tarea** integradora de los contenidos vistos en la lección, en la que el estudiante elabora un producto mediante un proceso de negociación con sus compañeros. Este apartado introduce al alumno en el desarrollo de la expresión escrita.

La sección **Descubre España y América Latina** trata diversos aspectos socioculturales de países donde se habla español. Las actividades propuestas están encaminadas fundamentalmente a desarrollar la comprensión lectora, a partir de textos y fotografías para cuya selección se ha tenido muy en cuenta la motivación del estudiante. Por ello aparecen temas muy variados, que van desde el arte o las tradiciones hasta la vida cotidiana actual.

La lección termina con un cuadro **Recuerda** en el que se sintetizan los objetivos comunicativos, los contenidos gramaticales y léxicos presentados, con ejemplos y referencias al **Resumen Gramatical** que cierra el libro.

Y cada cinco lecciones, repaso

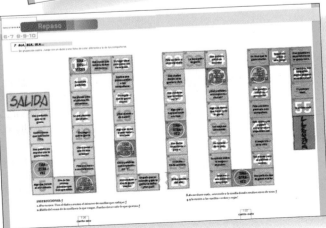

Finalmente, cada cinco lecciones hay un **Repaso** de los contenidos gramaticales, léxicos y culturales vistos a lo largo de las cinco unidades previas. Esta sección tiene un doble objetivo: por una parte, reforzar los contenidos mediante una serie de actividades que se incluyen en la primera doble página. Por otra, profundizar en el desarrollo de las destrezas mediante la realización de una tarea con la que el estudiante pone en funcionamiento todos los conocimientos adquiridos.

Contenidos del libro

	TEMAS Y VOCABULARIO	OBJETIVOS COMUNICATIVOS	GRAMÁTICA	PRONUNCIACIÓN	DESCUBRE ESPAÑA Y AMÉRICA LATINA
lección 1	• El trabajo o los estudios. • Profesiones. • Medios de transporte.	• Hablar del trabajo o los estudios. • Hablar sobre los medios de transporte. • Preguntar y decir con qué frecuencia hacemos cosas.	• Verbo *venir*. • Preposiciones: *de, desde, a, hasta, en, por*. • Adverbios de cantidad. • Expresiones de frecuencia. • Interrogativos: *¿Cómo?*	• Entonación.	• Viajar por Perú.
lección 2	• Planes y proyectos. • Viajes (1). • Obligaciones.	• Hablar del futuro: planes y proyectos. • Expresar obligación y necesidad.	• *Ir + a* + infinitivo. • *Hay + que* + infinitivo. • *Tener + que* + infinitivo.	• Entonación en frases afirmativas e interrogativas.	• El humor español.
lección 3	• La compra. • Alimentos. • En un restaurante.	• Pedir productos alimenticios en una tienda. • Preguntar el precio de un determinado producto. • Pedir algo en un restaurante. • Solicitar un servicio en un restaurante.	• Presente de indicativo irregular: - alternancia *e – i*. - primera persona del singular con *g*. • *Algo, nada*. • *Otro, un poco (más) de*. • Sustantivos contables – no contables.	• La sílaba fuerte.	• Las comidas en España.
lección 4	• Hechos recientes. • Disculpas. • Excusas.	• Hablar de lo que se ha hecho recientemente. • Disculparse. • Poner excusas.	• Pretérito perfecto. • Participio pasado.	• Entonación en frases afirmativas, interrogativas y exclamativas.	• Montevideo.
lección 5	• Experiencias personales. • Estudiar una lengua extranjera.	• Hablar de experiencias personales. • Expresar opiniones. • Expresar acuerdo y desacuerdo.	• Pretérito perfecto. • *Ya – aún / todavía no*. • *Creer / pensar que...* • *(No) Estar de acuerdo con... porque...* • *Con* + pronombre personal.	• Entonación en frases afirmativas e interrogativas.	• El cante flamenco.

Repaso 1 **1-2-3-4-5** **Tarea complementaria. ¿Cuál es la dieta ideal?**

	TEMAS Y VOCABULARIO	OBJETIVOS COMUNICATIVOS	GRAMÁTICA	PRONUNCIACIÓN	DESCUBRE ESPAÑA Y AMÉRICA LATINA
lección 6	• Ropa. • De compras.	• Decir qué ropa lleva otra persona. • Hacer comparaciones. • Comprar un artículo en una tienda de ropa.	• Comparaciones. • Pronombres de objeto directo: *lo, la, los, las*.	• La sílaba fuerte.	• Un cómic.
lección 7	• Una fiesta de cumpleaños. • Felicitaciones. • Regalos. • Comidas y bebidas. • Los meses del año	• Decir lo que se está haciendo. • Felicitar a alguien el día de su cumpleaños. • Ofrecer regalos. • Valorar cosas. • Ofrecer comida o bebida y aceptarla o rechazarla. • Preguntar y decir la fecha del cumpleaños.	• *Estar* + gerundio. • *Para* + Pronombre personal. • Frases exclamativas: *¡Qué...!* • Algunos usos de los verbos *ser* y *estar*.	• Entonación de frases afirmativas, interrogativas y exclamativas.	• El día de los muertos.
lección 8	• Viajes (2).	• Hablar del pasado: Contar un viaje.	• Pretérito indefinido: - verbos regulares. - verbos irregulares (*ir, ser, estar, venir, hacer*). • Preposiciones: *en, de*.	• La sílaba fuerte en las formas del pretérito indefinido.	• Las islas Galápagos.

	TEMAS Y VOCABULARIO	OBJETIVOS COMUNICATIVOS	GRAMÁTICA	PRONUNCIACIÓN	DESCUBRE ESPAÑA Y AMÉRICA LATINA
lección 9	• Biografías. • Momentos importantes en la vida de una persona.	• Contar la vida de una persona.	• Pretérito indefinido: - verbos regulares. - verbos irregulares (*tener, morir*).	• La sílaba fuerte.	• Simón Bolívar.
lección 10	• Situaciones sociales. • Normas de la clase.	• Pedir permiso. Conceder o denegar el permiso. • Pedir un favor y responder afirmativa o negativamente. • Preguntar si está permitido hacer algo en un sitio. • Pedir cosas y responder afirmativa o negativamente. • Pedir cosas prestadas y responder afirmativa o negativamente.	• ¿*Puedo* + infinitivo? • ¿*Puedes* + infinitivo? • ¿*Se puede* + infinitivo? • ¿*Me das...?* • ¿*Me dejas...?* • Imperativo afirmativo, singular. • Imperativo afirmativo + pronombres de objeto directo.	• Entonación.	• El museo del oro.

Repaso 2 6 · 7 · 8 · 9 · 10   Tarea complementaria. Una biografía

	TEMAS Y VOCABULARIO	OBJETIVOS COMUNICATIVOS	GRAMÁTICA	PRONUNCIACIÓN	DESCUBRE ESPAÑA Y AMÉRICA LATINA
lección 11	• Viajes • El clima. • Estaciones del año.	• Expresar preferencias. • Hacer comparaciones. • Pedir y dar información sobre los medios de transporte. • Hablar del tiempo atmosférico.	• Presente de indicativo de verbos irregulares: llover, nevar. • Adverbios de cantidad: *Muy, mucho, bastante, poco.* • Contraste: *Muy, mucho.*	• La sílaba fuerte.	• Triana.
lección 12	• El fin de semana • Actividades de tiempo libre (3).	• Hablar del pasado: expresar lo que hicimos el fin de semana pasado. • Valorar actividades y hechos pasados.	• Pretérito Indefinido. Verbos irregulares: - alternancia e-i en la tercera persona. - alternancia o-u en la tercera persona. - con –y. - verbos reírse y dar. • Ser + bueno/malo. • Estar + bien/mal. • Superlativo absoluto.	• Entonación de frases empleadas para valorar actividades y hechos pasados. • El acento tónico en las formas del presente de indicativo plural.	• El muralismo mexicano.
lección 13	• Los incas. • La infancia.	• Describir personas, lugares y cosas en pasado. • Hablar de acciones habituales en el pasado.	• Pretérito imperfecto. Verbos regulares e irregulares. • Preposiciones: -a (a los diez años). -de (de pequeño).	• La sílaba fuerte. • Pronunciación de las formas del pretérito imperfecto.	• La sociedad Inca.
lección 14	• Objetos. • Formas. • Materiales. • Regalos.	• Describir objetos. • Expresar utilidad. • Expresar de qué está hecho un objeto. • Hablar de regalos: los regalos recibidos y los que hacemos.	• Servir para + infinitivo. • Ser de + nombre de material. • Pronombres de objeto indirecto (OI). • Pronombres de OI + OD.	• El acento.	• Maitena y el cómic.
lección 15	• El futuro. • Supersticiones.	• Hablar del futuro. • Hacer predicciones. • Expresar hipótesis sobre el futuro. • Expresar condiciones y sus consecuencias.	• Futuro simple: verbos regulares y irregulares. • Probablemente/Posiblemente... + futuro simple. • Si + presente indicativo, futuro simple.	• La sílaba fuerte en las formas del futuro simple.	• Un año de amor.

Repaso 3 11 · 12 · 13 · 14 · 15   Tarea complementaria. Organizar un viaje

El trabajo

1 **a]** Lee estas palabras y expresiones y pregunta al profesor qué significan las que no conozcas.

- taxista
- fotógrafo
- corta el pelo
- toca la guitarra
- hace fotos
- profesora
- conduce un taxi
- azafata
- da clases
- atiende a los pasajeros
- músico
- peluquero

b] Completa con las palabras y frases del recuadro anterior.

Tomás es _músico. Toca la guitarra_ en un grupo de rock.

Olga es .... por Buenos Aires.

Margarita es ....de Matemáticas en un Instituto.

Elisa es .... de un avión.

Nacho es ....para revistas de moda.

Jaime es ....en una peluquería unisex.

2 **a)** En grupos de tres o cuatro. Piensa en tu profesión y en tu principal función y explícaselo a tus compañeros. (Si eres estudiante, elige una profesión que te guste).

b) ¿Hace alguno de tus compañeros algo extraño o interesante? ¿Has aprendido alguna palabra nueva? Díselo a la clase.

3 Observa los dibujos y di qué medios de transporte puedes utilizar en tu pueblo o tu ciudad.

| Metro | Autobús | Tren | A pie | Avión | Coche | Bicicleta | Moto |

FÍJATE EN LA GRAMÁTICA

Ir - Venir

Ir Venir	en	coche autobús metro moto tren taxi bicicleta avión
	andando a pie	

4 **a)** Escucha y lee.

- ¿Cómo vas al trabajo?
- En coche.
- ¿Cuánto tardas en llegar?
- Unos veinte minutos. Y tú, ¿cómo vienes a clase?
- Andando.
- ¿Y cuánto tardas?
- Diez minutos.

b) Escucha y repite.

5 Habla con tus compañeros y descubre:

- Cuál es el medio de transporte más usado por la clase.
- Quién tarda menos en llegar a clase.
- Quién tarda más.

6 Ordena, de más a menos, estas expresiones de frecuencia:

- una vez al día
- tres veces al mes
- cuatro o cinco veces al año
- muchas veces al día
- una vez cada tres días
- una vez a la / por semana
- nunca

1. muchas veces al día
2. _____
3. _____
4. _____
5. _____
6. _____
7. _____

7 Pregunta a tus compañeros y escribe el nombre de uno de ellos en cada caso.

	NOMBRE
¿Quién coge el tren una vez a la semana?	
¿Quién estudia dos horas al día en casa?	
¿Quién tiene tres meses de vacaciones al año?	
¿Quién trabaja cuarenta horas a la semana?	
¿Quién coge el metro una vez cada dos días?	
¿Quién tiene un día libre por semana?	
¿Quién viaja en avión una vez cada tres o cuatro meses?	

¿Cuántas veces coges el tren a la semana?
...

¿Cuántas horas al día estudias en casa?
...

8 a) ¿Con qué frecuencia haces estas cosas en tu trabajo? Escríbelo en la columna correspondiente. (Si eres estudiante, imagínate que tienes la profesión que has elegido en la actividad 2 a).

	TÚ	TU COMPAÑERO
Ir al extranjero		
Hablar con tu jefe		
Comer con clientes		
Hablar por teléfono		
Llegar tarde		

b) Ahora pregúntale a tu compañero y anota sus respuestas.

⊙ ¿Vas al extranjero a menudo?
  ⊙ Sí. (Una vez al mes).
  ⊙ Bastante. (Una vez cada cuatro meses).
  ⊙ No. (Voy poco). (Una vez cada dos años).
  ⊙ No. (No voy nunca).

c) Comparad vuestras respuestas. ¿Coincidís en algo?

9   Lee lo que dicen Olga y Nacho.

LO QUE MÁS ME GUSTA DE MI TRABAJO ES HABLAR CON LA GENTE. LO QUE MENOS, EL HORARIO.

PUES A MÍ LO QUE MÁS ME GUSTA ES QUE ES UN TRABAJO CREATIVO. LO QUE MENOS, QUE GANO POCO.

10 a) Piensa en lo que más y en lo que menos te gusta de:

- Tu trabajo.
- Tu pueblo o tu ciudad.
- El español.
- El centro donde estudias.
- La clase de español.

Pídele ayuda al profesor si la necesitas.

b) Coméntalo con tu compañero.

11 a) Relaciona preguntas y respuestas (solo hay una posibilidad para cada caso).

- ¿Trabajas los fines de semana?
- ¿Qué horario tienes?
- ¿Cuántas horas trabajas al día?
- ¿Cuántas vacaciones tienes al año?
- ¿Te gusta tu trabajo?
- ¿Qué es lo que más te gusta de tu trabajo?
- ¿Qué es lo que menos te gusta de tu trabajo?

- Un mes.
- Ocho.
- El sueldo. No gano mucho.
- Que puedo conocer a mucha gente.
- Sí, los sábados por la mañana.
- De 9 a 2 y de 3 a 6.
- Sí, me encanta.

b) Escucha y comprueba.

PRONUNCIACIÓN

Entonación

12   Escucha y repite.

- ¿Cuántas horas trabajas al día?
- ¿Qué horario tienes?
- ¿Trabajas los fines de semana?
- ¿Cuántas vacaciones tienes al año?
- ¿Qué es lo que más te gusta de tu trabajo?
- ¿Y lo que menos?

¿Lo tienes claro?

13   Escucha esta entrevista y completa el cuadro:

Profesión:	Vacaciones: ....
Horas de trabajo al día:	Lo que más le gusta de su trabajo: ....
Días libres:	¿Está contento con su trabajo?: ....

14 **a)** En parejas. Preparad las preguntas para una encuesta sobre las condiciones de trabajo.

1. Profesión.	▨ ¿A qué se dedica?
2. Número de horas de trabajo a la semana.	
3. Horario.	
4. Días libres.	
5. Vacaciones.	
6. Lo que más le gusta.	
7. Lo que menos le gusta.	
8. ¿Está contento con su trabajo?	

b) Antes de realizar la encuesta, piensa en tus respuestas a las preguntas de la actividad 14 a].

c) Ahora, haced la encuesta.

Alumno A: eres el encuestador.   **Alumno B:** eres el encuestado.

Podéis empezar así:

▨ Mire, soy de Radio... y estoy haciendo una encuesta sobre las condiciones de trabajo. ¿Podría hacerle unas preguntas?

Podéis terminar así:

▨ Bien, pues esto es todo. Muchas gracias por su colaboración.

	A1	A2	A3	A4	A5	A6	A7	A8
1								
2								
3								
4								
5								
6								

d) Haced un resumen de los resultados de la encuesta.

De .... alumnos encuestados....................

VIAJAR POR PERÚ

1 **a)** Lee estas frases y pregúntale al profesor qué significan las palabras que no entiendas.

	V	F
El medio de transporte que más utilizan los peruanos es el barco.	☐	☐
La carretera Panamericana comunica Perú con otros países sudamericanos.	☐	☐
Por el río Amazonas se puede navegar.	☐	☐
La gente va a Machu-Picchu en autobús.	☐	☐
La línea de tren más alta del mundo pasa por los Andes.	☐	☐

b) Lee el texto y señala si esas frases son verdaderas o falsas.

VIAJAR POR PERÚ

Perú es un país muy montañoso en el que viajar es a veces una experiencia inolvidable que nos permite descubrir paisajes espectaculares y de una gran belleza.

El medio de transporte más popular es el **ómnibus** o autobús, y la carretera más importante es la Panamericana, que une los diferentes países latinoamericanos. Sin embargo, no es posible ir en ómnibus a todas las zonas del país. A muchos lugares de la selva amazónica, por ejemplo, sólo se puede llegar en barco, navegando lentamente por las misteriosas aguas del río Amazonas u otros ríos, lo que es una experiencia extraordinaria. El tren es el único medio de transporte que nos lleva a algunos lugares de los Andes, como Machu-Picchu. Además podemos recorrer la región andina en la línea de tren más alta del mundo: el ferrocarril que va de Lima a Huancayo asciende hasta los 4.815 metros: viajar en él es vivir una aventura por los altiplanos de los Andes.

ica Latina

c) Comenta con tus compañeros las informaciones que consideres más interesantes.

COMUNICACIÓN

Hablar del trabajo o de los estudios

- ❑ ¿Qué haces en tu trabajo?
- ○ *Atiendo a los clientes.*
- ❑ ¿Cuántas horas trabajas al día?
- ○ *Seis.*
- ❑ ¿Qué horario tienes?
- ○ *De nueve a tres.*

- ❑ ¿Cuántas vacaciones tienes al año?
- ○ *Un mes.*
- ❑ ¿Qué es lo que más te gusta de tu trabajo?
- ○ *El horario.*
- ❑ ¿Y lo que menos?
- ○ *Que gano poco.*

GRAMÁTICA

Adverbios de cantidad

mucho, bastante, poco

- Trabajo mucho y gano poco.
- Marisol estudia bastante.

(Ver resumen gramatical, apartado 9)

Preposiciones

de... a	De ocho a cuatro.
desde... hasta	Desde las ocho hasta las cuatro.
en	Siempre vengo a clase en moto.
a	Una vez a la semana.
por	Una vez por semana.

COMUNICACIÓN

Hablar sobre medios de transporte

- ❑ ¿Cómo vienes a clase?
- ○ *En autobús.*
- ❑ ¿Cuánto tardas?
- ○ *Media hora.*

GRAMÁTICA

Interrogativos

¿Cómo?

(Ver resumen gramatical, apartado 5.7)

- ■ **Verbo venir**

  (Ver resumen gramatical, apartado 3.1.2.4)

COMUNICACIÓN

Preguntar y decir con qué frecuencia hacemos cosas

- ❑ ¿Hablas por teléfono a menudo?
- ○ *Sí, varias veces al día. / No. Hablo poco.*
  Una vez cada tres o cuatro días.

GRAMÁTICA

Expresiones de frecuencia

- Una vez al día • dos veces por semana • una vez cada tres días...

(Ver resumen gramatical, apartado 8.2)

Planes

1 **Escucha y lee.**

○ *Este fin de semana voy a ir a la playa. ¿Quieres venir?*

○ *¿Este fin de semana? Imposible. El sábado voy a salir con unos amigos y el domingo tengo que estudiar para el examen del lunes.*

○ *Bueno, pues otra vez será.*

2 **Lee el programa de una excursión a Granada para el próximo sábado. ¿Hay algo que no entiendes?**

VIAJES VAIVÉN

EXCURSIÓN A GRANADA

8. 30 Salida en autobús de la plaza de Andalucía

10.15 Llegada a Granada

10. 30 Visita a la Alhambra

12. 30 Visita al Albaicín

14. 00 Comida en el Restaurante Medina

15. 30 –19.30 Tiempo libre

20.00 Concierto flamenco a cargo de Manolo Alfileres

22.30 Cena en el Mesón del Chato

23.30 Regreso a Córdoba

3 a] Un amigo tuyo va a hacer esa excursión y tú quieres informarte. Prepara las preguntas con tu compañero siguiendo la ficha.

▦ medio de transporte	● ¿Cómo vas a ir?
▦ hora de salida	
▦ hora de vuelta	
▦ ¿mucha gente?	
▦ visitas	
▦ comidas	
▦ ¿algún espectáculo?	

b] En parejas.

Alumno A:
El sábado vas a ir a esa excursión. Responde a las preguntas de tu compañero.

Alumno B:
Tu compañero va a ir a Granada el sábado. Hazle preguntas sobre la excursión.

FÍJATE EN LA GRAMÁTICA

Ir + a + infinitivo

Con «Ir + a + infinitivo» podemos usar las siguientes referencias temporales:

mañana	este verano/invierno/...
pasado mañana	la semana que viene = la próxima semana
el domingo/lunes/...	el mes que viene = el próximo mes
este fin de semana	el año que viene = el próximo año
este mes	en Navidades/Pascua/...
este año	en julio/agosto/...

● Este fin de semana voy a jugar al tenis.

4 Escucha esta conversación entre un chico y una chica y completa el cuadro con lo que va a hacer cada uno el fin de semana.

	ÉL	ELLA
EL SÁBADO	va a ir de compras	
EL DOMINGO		va a ir a un concierto

 PRONUNCIACIÓN

Entonación

5 a] Escucha las siguientes frases.

b] Escucha y marca si es afirmativo o interrogativo.

Afirmativo	**Interrogativo**
1. …	1. X.
2. …	2. …
3. …	3. …

6 Habla con tus compañeros y escribe en cada caso el nombre de uno de ellos.

¿Quién...

… quiere ir al campo el domingo?

… va a ir al cine este fin de semana?

… no va a venir a clase mañana?

… va a salir esta noche?

… quiere hacer una excursión este fin de semana?

… no va a hacer hoy los deberes?

● ¿Vas a ir al cine este fin de semana?
● Sí /No / No sé. ¿Y tú? / No lo sé todavía.
● (Pues) Yo...

7 a) Lee y completa el cuadro con la siguiente información.

Carlos, Maite, Ana, Nacho, Luisa y Juan forman tres parejas. Este fin de semana, cada pareja va a ir a bailar, al teatro o al campo el viernes, el sábado o el domingo.

Nacho va a ir a bailar, pero no con Ana.

Juan va a salir el viernes.

Luisa va a salir con Carlos.

Carlos va a ir al campo.

Ana va a ir al teatro.

Maite no va a salir el domingo.

¿QUIÉNES	¿QUÉ VAN A HACER?	¿CUÁNDO?

b) Ahora completa estas frases.

Nacho .... ir a bailar con .... Va a ir el ....

El .... Carlos va a ir al campo con ....

Juan va a ir el viernes .... Va a ir con ....

8 a) En parejas. El próximo fin de semana lo vais a pasar juntos, pero aún no sabéis dónde. Decididlo ahora. Pensad también en:

- Actividades y visitas.
- Medio de transporte.
- Alojamiento.
- Etcétera.

b) En grupos de cuatro (dos parejas). Intentad obtener toda la información que podáis sobre los planes de la otra pareja para adivinar dónde van a pasar el fin de semana.

9   Lee y escribe qué hay que hacer.

Antonio quiere ir este verano a Egipto a estudiar árabe. Hoy ha ido a la embajada de ese país para informarse sobre las condiciones para obtener el visado y ha tomado estas notas. Léelas y escribe qué hay que hacer para obtener un visado de entrada a ese país.

Hay que presentar el pasaporte

- Presentar el pasaporte.
- Llevar una fotografía tamaño carnet.
- Pagar 22,209 euros.
- Rellenar un formulario.

(Horario: 10-12h)

10   Ahora di lo que tiene que hacer Antonio para obtener el visado.

Tiene que presentar el pasaporte en la embajada.

11 a) En parejas. Discutid lo que hay que hacer para aprender bien una lengua en un país donde se hable. Tomad nota.

Hay que hablar con nativos.

b) ¿Qué tiene que hacer Antonio para aprender mucho árabe en Egipto? Comentadlo con vuestros compañeros. ¿Están de acuerdo?

¿Lo tienes claro?

12 **En grupos de cuatro.**

Imagina que el mes que viene te vas a ir de vacaciones a uno de estos lugares. Di a tus compañeros qué tienes que hacer para ir y qué piensas hacer allí. ¿Saben qué sitio es?

TENGO QUE / HAY QUE	VOY A...
Para ir a la India, tengo que vacunarme.	Voy a visitar los lugares más típicos...

EL HUMOR ESPAÑOL

1 Lee esta historieta y pregunta al profesor lo que no entiendas.

ica Latina

2 a) En grupos de tres. Responded a las preguntas.

- ¿Qué creéis que va a pasar? ¿Qué va a hacer Juanita? ¿Y Jacinto?
- ¿Cómo creéis que continúa la historieta? Escribidlo.

El Viaje de Negocios ... CONTINUACIÓN

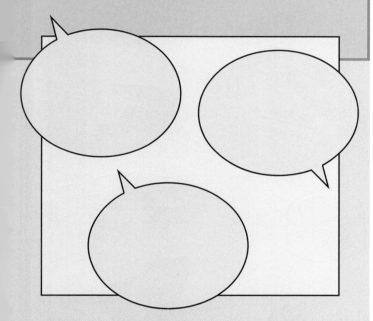

b) Contad a la clase lo que habéis escrito.

3 Pedid al profesor la continuación de la historieta y comparadla con la vuestra.

4 Ahora decidid qué grupo se ha imaginado una historia más parecida a la original.

COMUNICACIÓN

Hablar del futuro: planes y proyectos
—¿Qué vas a hacer esta noche?
—*Voy a ir al teatro con unos amigos.*

Expresar obligación o necesidad
—Para entrar en Egipto, hay que presentar el visado en la frontera.
—*Esta semana tengo que estudiar mucho.*

GRAMÁTICA

Ir + a + infinitivo
(Ver resumen gramatical, apartado 15)

Hay + que + infinitivo
(Ver resumen gramatical, apartado 16)

Tener + que + infinitivo
(Ver resumen gramatical, apartado 16)

Comidas

1 Lee este anuncio. ¿Entiendes los nombres de estos productos?

GALLETAS
1,08 euros

PAN
0,27 euros

JAMÓN
23,45 euros

POLLO
1,62 euros

SAL
0,27 euros

VINO
1,74 euros

CHORIZO
10,22 euros

CHULETAS
DE CORDERO
9,92 euros

ARROZ
1,02 euros

LECHE
0,75 euros

QUESO
8,65 euros

MERLUZA
11,42 euros

AZÚCAR
0,90 euros

ACEITE
DE OLIVA
2,54 euros

HUEVOS
1,26 euros

LECHUGAS
0,51 euros

NARANJAS
1,05 euros

PATATAS
0,54 euros

MANZANAS
1,20 euros

PLÁTANOS
1,68 euros

SARDINAS
0,66 euros

YOGUR
0,29 euros

DELTA
supermercados

2 **a]** Observa los productos del dibujo.

b] Ahora tapa el dibujo. ¿Te acuerdas de lo que hay? Escríbelo.

▓ *Hay un paquete de galletas...*

PRONUNCIACIÓN

¿Cuál es la sílaba más fuerte?

3 **a]** Escucha estas palabras y escríbelas en la columna correspondiente.

□ ■	■ □	□ ■ □	■ □ □
ar roz	vi no	ga lle ta	plá ta no

b] Escucha y comprueba.   **c]** Dilas en voz alta.

4 **a]** Mira este dibujo.

b] Ahora juega con tus compañeros.

En parejas. Elige uno de estos dibujos y di todo lo que hay. Tu compañero tiene que adivinar qué dibujo es.

FÍJATE EN LA GRAMÁTICA

Pesos y medidas

100 g = cien gramos	1 l = un litro
1 kg = un kilo	$^1/_2$ l = medio litro
$^1/_2$ kg = medio kilo	$^1/_4$ l = un cuarto de litro
$^1/_4$ de kg = un cuarto de kilo	1 $^1/_2$ o 1,5 l = (un) litro y medio
1 $^1/_2$ o 1,5 kg = (un) kilo y medio	2 l = dos litros
2 kg = dos kilos	

6 a) Escucha y haz una lista de lo que ha comprado este chico.

b) Escucha y escribe lo que cuesta cada cosa.

c) Calcula el total. Comprueba con la grabación.

¿Qué ha comprado?	¿Cuánto cuesta?

7 **a]** Escucha este diálogo con el libro cerrado y ayuda al profesor a escribirlo en la pizarra.

○ ¿Qué le pongo?
○ Una docena de huevos.
○ ¿Qué más?
○ Una lata de sardinas y un paquete de azúcar.
○ ¿Algo más?
○ ¿A cómo está este queso?
○ A siete euros con ochenta céntimos...
○ Pues póngame un cuarto.
○ ¿Algo más?
○ No, nada más. Gracias.

b] Practícalo con tu compañero.

8 **a]** Quieres comprar los productos de la lista. Completa el diálogo.

Dependiente: Buenos días.
Tú: ....
Dependiente: ¿Qué le pongo?
Tú: ....
Dependiente: Son buenísimos estos plátanos. ¿Algo más?
Tú: ....
Dependiente: Aquí tiene. Son nuevas.
Tú: ¿..?
Dependiente: Lo siento, pero no me quedan.
Tú: ....
Dependiente: ¿De litro o de litro y medio?
Tú: ....
Dependiente: ¿Quiere algo más?
Tú: ....
Dependiente: ¿Qué marca: Forges o Martorell?
Tú: ....
Dependiente: El litro de Forges, 2,57 euros, y el de Martorell, 2,80.

Tú: ....
Dependiente: Aquí tiene. Es un poco más caro, pero es mejor. ¿Algo más?
Tú: ....
Dependiente: Vamos a ver. Son... 7,32 euros.

- 1 Kg. de plátanos
- 2 Kg. de patatas
- 4 yogures
- 1 botella de leche
- 1 botella de aceite de oliva

b] Ahora escucha y habla con el dependiente.

9   Ahora vosotros. En grupos de tres.

Alumnos A y B:

Trabajáis en dos tiendas diferentes.

a) Decidid individualmente los precios de los productos que vendéis.

b) Haced las etiquetas con los nombres y los precios de los productos y ponedlos a la vista del público.

Alumno C:

No tienes nada de comida en casa y esta noche va a venir a cenar un amigo tuyo. Además, solo tienes 10 euros.

a) Escribe una lista de lo que quieres comprar.

b) Haz la compra.

---

10 a) ¿Con qué países hispanos asocias estas comidas y bebidas?

café

tortilla

fríjoles

chorizo

naranjas

b) ¿Has tomado alguna vez estos alimentos? En caso afirmativo, explícales a tus compañeros cómo son. Puedes usar el diccionario.

c) ¿Conoces otras comidas y bebidas hispanas? Coméntalo con tus compañeros.

11 **a]** Lee este menú y pregunta qué significa lo que no entiendas.

b] Lee y di cuál es el orden de estos cuatro diálogos entre el camarero y los clientes de un restaurante.

CASA FÉLIX

MENÚ

PRIMERO: PAELLA
SOPA
JUDÍAS BLANCAS
ESPÁRRAGOS
ENSALADA

SEGUNDO: FILETE
POLLO EN SALSA
MERLUZA A LA ROMANA CON ENSALADA
TRUCHA
TORTILLA
FRUTA
FLAN
HELADO

9 €
IVA INCLUÍDO

A

○ ¿Qué tomarán de postre?
○ Yo, helado.
○ Y yo, un flan.
○ ¿Van a tomar café?
○ Yo no.
○ Yo sí, un café con leche.

B

○ ¿Nos trae un poco más de pan, por favor?
○ Muy bien.

C

○ ¿Qué van a tomar?
○ Yo, de primero, sopa y, de segundo, pollo.
○ Para mí, judías blancas, y de segundo... un filete, muy hecho.
○ ¿Y para beber?
○ Vino.
○ Yo, agua mineral con gas.

D

○ La cuenta, por favor.

c] Escucha y comprueba.

d] Ahora practica estos diálogos con dos compañeros.

Contables / No contables

¿Me	trae	un tenedor,	por favor?
		otra botella de vino,	
		otras dos cervezas,	
¿Nos		más pan,	
		un poco (más) de pan,	

12 Imagina que estás en un restaurante y necesitas estas cosas. ¿Cómo las pides? Escríbelo.

1 – ¿Me trae un poco más de agua, por favor?

4 Arroz

1 Agua

5 Un cuchillo

2 Mayonesa

6 Vino

3 Dos botellas de agua mineral con gas

7 Un vaso

13 Escucha y escribe en el cuadro lo que pide cada persona.

	De primero	De segundo	¿Necesitan algo?	De postre	¿Toman algo más?
ELLA					
ÉL					

¿Lo tienes claro?

12 **a)** En grupos de tres (A, B, C). Escribid el menú del día de un restaurante.

b) En grupos de tres (A, B, C).

Alumno C:

Eres el camarero de un restaurante. Atiende a los clientes.

Alumnos A y B:

Sois clientes de un restaurante. Mirad el menú. Pedidle al camarero lo que queréis tomar y lo que necesitéis durante la comida.

c) Ahora cambiad el papel.

LAS COMIDAS EN ESPAÑA

1 **a)** Señala en la columna «antes de leer» lo que creas saber sobre los hábitos de comida de los españoles.

ANTES DE LEER			DESPUÉS DE LEER	
V	F		V	F
☐	☐	En España, la comida más fuerte es la cena.	☐	☐
☐	☐	El desayuno no es muy importante.	☐	☐
☐	☐	En España se cena sobre las siete de la tarde.	☐	☐
☐	☐	Es normal tomar café después del almuerzo.	☐	☐

b) Ahora lee el texto.

En España, la primera comida del día, el desayuno, no es muy abundante. La mayoría de la gente suele tomar café con leche, tostadas, algún bollo o galletas.

La comida más importante, el almuerzo o la comida, es al mediodía, entre la 1 y las 3 de la tarde. Se come un primer plato, a base de verduras, legumbres, arroz... y un segundo plato que suele ser carne o pescado. También se toma postre: fruta o algún dulce. Es habitual acompañar las comidas con vino y tomar café después del postre.

La última comida del día es la cena, entre las 9 y las 10 de la noche. Se toma algo ligero, como sopa, verdura, huevos, queso, fruta, etcétera.

También existe la merienda, una comida a media tarde, hacia las seis. Los niños suelen comer un bocadillo, fruta, o tomar un vaso de leche con galletas.

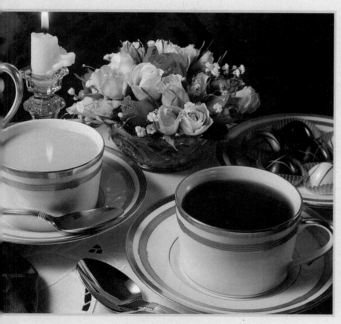

[c] Marca la columna «después de leer» y compara con lo que has señalado antes. ¿Hay algo que te sorprenda?

[d] Habla con la clase sobre las comidas en tu país.

¿Son a la misma hora que en España?
¿Se come y se bebe lo mismo?

C OMUNICACIÓN

Pedir productos alimenticios en una tienda
- □ ¿Qué le pongo?
- ○ *Un paquete de arroz.*
- □ ¿Algo más?
- ○ *No, nada más.*

Preguntar el precio de un determinado producto
- □ ¿A cómo están las naranjas?
- ○ *A 0,90 euros el kilo.*

G RAMÁTICA

Algo, nada
(Ver resumen gramatical, apartado 12)

C OMUNICACIÓN

Pedir en un restaurante
—¿Qué va(n) a tomar?
- • *Yo, de primero, una ensalada y, de segundo, pollo.*
- • *Para mí, paella y merluza a la romana.*

Solicitar un servicio en un restaurante
- • *¿Me trae otra botella de agua, por favor?*
- • *¿Nos trae un poco más de pan, por favor?*

G RAMÁTICA

Sustantivos contables

Singular	Plural
Un tenedor	Unos/dos tenedores
Otra botella de agua	Otras botellas de agua

Sustantivos no contables
- • Más pan
- • Un poco de pan
- • Un poco más de pan

Presente de indicativo
- ■ Verbos irregulares: alternancia e – i

Verbo pedir

(Yo)	Pido
(Tú)	Pides
(Él/ella/usted)	Pide
(Nosotros/nosotras)	Pedimos
(Vosotros/vosotras)	Pedís
(Ellos/ellas/ustedes)	Piden

Otros verbos frecuentes con alternancia e – i
- • *decir* • *repetir* • *servir* • *seguir*
(Ver resumen gramatical, apartado 3.1.2.2)

Presente de indicativo. Verbos irregulares
- ■ 1.ª persona del singular con *g*
  poner: (yo) pongo

Otros verbos frecuentes con esta irregularidad
- • *tener* • *hacer* • *venir* • *salir* • *decir* • *traer*

Ha sido un día normal

1 a) Lee el siguiente texto y di dónde puedes encontrarlo.

• en una agenda   • en un periódico   • en una carta comercial   • en una revista
• en un diario   • en un cartel   • en un folleto publicitario

Hoy ha sido un día normal. Me he levantado a la hora de todos los días, pero he perdido el autobús, así que he llegado tarde a clase de Historia Contemporánea. Una pena, porque es una asignatura que realmente me interesa. Luego he tenido otras tres clases, muy aburridas todas. Tampoco he recibido hoy la carta de Marta que estoy esperando. La verdad es que Correos funciona cada día peor.

Por la tarde he estudiado poquísimo porque he ido al cine con Pepe. Hemos visto una película horrible -no quiero ni mencionar su título-, nos hemos tomado unas cañas y he vuelto a casa a las diez. Luego le he escrito a Marta.

¡Qué ganas tengo de verla!

b) Escribe seis cosas que ha hecho hoy esa persona.

1. Se ha levantado a la hora de todos los días.

2. ....

3. ....

4. ....

5. ....

6. ....

FÍJATE EN LA GRAMÁTICA

Pretérito perfecto

Haber + participio

(yo)	he	
(tú)	has	
(él, ella, usted)	ha	estudiado
(nosotros/as)	hemos	comido
(vosotros/as)	habéis	salido
(ellos/ellas/ustedes)	han	

b) Lee de nuevo el texto de la actividad 1 y completa estos cuadros.

	-AR	-ER	-IR
INFINITIVO	levantar llegar estudiar tomar	ser perder tener	recibir ir ....
PARTICIPIO (regular)	levant**ado**	**sido**	recib**ido** ....

INFINITIVO	ver volver escribir
PARTICIPIO (irregular)	visto ....

c) Aquí tienes el participio de algunos verbos irregulares:

hacer → hecho

poner → puesto

descubrir → descubierto

decir → dicho

abrir → abierto

2 a) Escucha y repite.

b) Ahora escucha y repite lo que oigas solo si es verdadero. Si es falso, no digas nada.

3 Son las 8.30 de la mañana y Teresa está saliendo de su casa para ir a la universidad. Observa el dibujo y escribe qué ha hecho y qué no ha hecho. Usa los verbos del recuadro.

- desayunar
- abrir
- lavarse
- hacer
- quitarse

- recoger
- apagar
- tomar
- ducharse
- ponerse

- *Ha desayunado.*
- *No ha recogido la mesa.*

4 a) El profesor te va a hacer cinco preguntas sobre lo que has hecho hoy. Antes, escribe las respuestas ("sí" o "no").

1. .... 2. .... 3. .... 4. .... 5. ....

b) Ahora contesta a las preguntas del profesor.

c) Escribe cinco preguntas divertidas para un compañero y prepara cinco respuestas a sus posibles preguntas. Después, en parejas, por turnos, haceos las preguntas. ¿Hay algo interesante o divertido? Decídselo a la clase.

1. _____
2. _____
3. _____
4. _____
5. _____

5 **a]** Escucha esta conversación y haz una lista de las horas que oigas.

b] Escucha y escribe qué ha hecho Marisa a esas horas.

¿Qué ha hecho Marisa?	¿A qué hora?
....	....
....	....
....	....
....	....
....	....
....	....

6 Concha y Félix son muy diferentes y no se conocen, pero los dos han hecho hoy cuatro cosas iguales en el mismo momento. Habla con tu compañero y descúbrelas.

ALUMNO A
¡NO MIRES LA PARTE DE B!

—Concha se ha levantado a las 7.30.

Mañana:

Tarde:

Noche:

Cuando termines, comprueba con tu compañero.

Alumno A

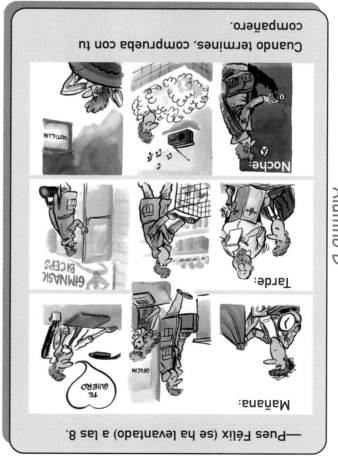

compañero.

Cuando termines, comprueba con tu

Noche:

Tarde:

Mañana:

—Pues Félix (se ha levantado) a las 8.

Alumno B

¡NO MIRES LA PARTE DE A!
ALUMNO B

7 Piensa en lo que has hecho tú hoy y escríbelo. Luego coméntalo con tus compañeros. ¿Cuántas cosas iguales habéis hecho?

Pretérito perfecto

También se puede usar el pretérito perfecto cuando se dice lo que se ha hecho o lo que ha pasado:

- esta semana,
- este mes,
- este trimestre,
- este año,

- hace diez minutos,
- hace dos horas,
- hace un rato,
- ...

○ *Esta semana he comido en un restaurante argentino.*

○ *Hace diez minutos ha sonado el despertador.*

8 En el bolso de algunas personas puedes encontrar de todo. Observa todas estas cosas del bolso de Lucía y escribe lo que ha hecho esta semana. Luego escribe lo que ha hecho el resto del mes. Recuerda que hoy estamos a 23 de abril, viernes.

ESTA SEMANA

Ha recibido una carta de Barcelona.

ESTE MES

Ha ido a San Sebastián en tren.

9 **a)** Piensa en cinco cosas que crees que ha hecho tu compañero este año. Luego, escríbelas.

b) Díselas. Él te confirmará si las ha hecho o no. ¿Cuántos aciertos tienes?

10 a) Escucha y lee.

○ Roberto: Perdona por llegar tarde, pero es que he salido del trabajo a las siete...
○ Sofía: ¡Bah! No te preocupes.
○ Roberto: Lo siento, de verdad.
○ Sofía: Tranquilo, hombre, no tiene importancia.

b) Escucha y repite.

11 a) Lee estas posibles causas de retraso. Busca en el diccionario las palabras que no entiendas.

- perder el tren
- no oír el despertador
- tardar en encontrar aparcamiento

- dormirse
- tardar en encontrar el sitio
- encontrarse con un conocido por el camino

b) Estas personas han llegado hoy tarde a algún sitio. ¿Qué excusas han puesto? Escríbelas.

○ Perdona por llegar tarde, pero es que no he oído el despertador.

○ ....
....

○ ....
....

○ ....
....

¿Lo tienes claro?

12 En parejas (A - B). Resuelve las siguientes situaciones, dando excusas y aceptándolas.

1

Alumno A:
Has quedado con tu novio o con tu novia a las 8 de la tarde y llegas a las 8.20. Discúlpate y dile por qué has llegado tarde.

2

Alumno A:
Eres la madre de Óscar, que tiene 15 años y todos los sábados vuelve a casa a las 10 de la noche. Hoy es sábado y ha vuelto a las 10.30. Acepta las disculpas.

1

Alumno B:
Acepta las disculpas de tu novia o de tu novio y tranquilízala/o.

2

Alumno B:
Eres Óscar, de 15 años. Todos los sábados vuelves a casa a las 10 de la noche, pero este lo has hecho a las 10.30. Invéntate una buena excusa y discúlpate ante tu madre.

MONTEVIDEO

1 a) ¿Sabes qué es el Mercosur? ¿Qué países lo integran?

b) Lee este texto incompleto sobre Montevideo, capital administrativa del Mercosur. Puedes usar el diccionario.

Montevideo, la capital de Uruguay, ha sido elegida también capital administrativa del Mercosur. Tiene casi 1,5 millones de habitantes, aproximadamente la mitad de la .... del país. Muchos de ellos son descendientes de .... italianos y españoles.

En esa ciudad industrial, comercial, turística y administrativa destacan sus industrias de la carne, las más tradicionales y que siguen teniendo una gran importancia .... Su puerto es el primero de Uruguay: en él se hacen la mayor parte de las operaciones de importación y ....

Es una ciudad muy vital que tiene una variada oferta cultural y mucha .... nocturna. Pero allí también se puede disfrutar de la tranquilidad: está abierta al mar, y hay muchas casas bajas y unas 2.000 hectáreas de plazas y ....

c) Asegúrate de que entiendes estas palabras y utilízalas para completar el texto.

- población
- económica
- exportación
- inmigrantes
- parques
- vida

ica Latina

2 a) Ahora vas a leer un texto de un escritor uruguayo, Eduardo Galeano, sobre Montevideo. Pregúntale al profesor el significado de lo que no entiendas.

> Montevideo es la ciudad de los cafés. Allí no se pregunta: «¿Dónde vivís?», sino: «¿En qué café parás?». Casi no hay cafés en los barrios de los ricos, pero en el centro, en la ciudad vieja y en los barrios pobres y de clase media, he contado hasta siete cafés en un solo cruce de esquinas. Refugio de solitarios y lugar de encuentro, espacio cómplice de comunicación para las confidencias de las parejas o para el estrépito de las «barras» de los vecinos, los compañeros de trabajo o los hinchas de fútbol, el café es también el tradicional escenario de las «peñas» de los artistas y los políticos.

EDUARDO GALEANO: *Nosotros decimos no*

b) ¿Cuál es la idea principal del texto?

c) Di tres palabras del texto que creas que no se utilizan en todos los países de habla hispana.

d) Piensa en los dos textos y diles a tus compañeros algunas cosas que crees que hacen los habitantes de Montevideo en su tiempo libre.

RECUERDA

COMUNICACIÓN

Hablar de lo que se ha hecho recientemente
- ¿A qué hora te has levantado hoy?
- o *A las ocho.*

GRAMÁTICA

Pretérito perfecto

He	
Has	
Ha	
Hemos	+ Participio pasado
Habéis	
Han	

Formación del participio pasado

Infinitivo	Participio pasado
-AR	-ADO
-ER	-IDO
-IR	

- *Hablar - hablado*
- *Comer - comido*
- *Vivir - vivido*

(Ver resumen gramatical, apartado 3.3)

COMUNICACIÓN

Disculparse
- *Perdona por llegar tarde.*
- *Lo siento, de verdad.*

Poner excusas
- *Es que he perdido el tren.*

5

Experiencias y opiniones

OBJETIVOS
- Hablar de experiencias personales
- Expresar opiniones
- Expresar acuerdo y desacuerdo

1 Mira las fotos y responde a las preguntas.

- ¿Conoces estos lugares y monumentos?
- ¿Cómo se llaman?
- ¿Sabes dónde están?

2 ¿Has estado alguna vez en esas ciudades o en esos países? Completa las siguientes frases con tu información.

He estado (una vez) en .... (y ....).
He estado (varias veces) en .... (y ....).
No he estado nunca en .... (ni ....).

3 ¿Verdadero o falso? Lee estas informaciones y pregunta al profesor qué significa lo que no entiendas. Luego escucha la conversación y señala verdadero o falso.

	V	F
Ha estado en los cinco continentes.	☐	☐
No ha montado nunca en camello.	☐	☐
Ha comido carne de serpiente.	☐	☐
No le gustó la carne de serpiente.	☐	☐
Ha ido de safari.	☐	☐

PRONUNCIACIÓN

Entonación

4 **a]** Escucha las siguientes frases.

b] Escucha y marca si es afirmativo o interrogativo.

Afirmativo	Interrogativo
1. X̶	1. …
2. …	2. …
3. …	3. …

5 Habla con tus compañeros y escribe el nombre de uno de ellos en cada caso.

Puedes empezar así:

- ◉ ¿Has estado alguna vez en latinomérica?
- ◉ Sí, (he estado)… ¿Y tú?
- ◉ No, (no he estado) nunca.
- ◉ Pues yo (he estado)…
- ◉ Yo tampoco.

¿Quién…

… ha estado en Latinoamérica?

… ha trabajado de camarero/a?

… ha tenido algún accidente de tráfico?

… ha perdido alguna vez una cosa de valor?

… se ha encontrado alguna vez una cosa de valor?

… ha comido turrón?

… ha cantado alguna vez en público?

… ha visto alguna película española?

… ha hecho teatro alguna vez?

6 a) Observa y lee.

Los señores de Cadosa son colombianos.
Están de vacaciones en Madrid.
Mira su plan del día.

Una lista escrita a mano:
- ir al Museo del Prado
- ir al Centro de Arte Reina Sofía
- Ver la Plaza Mayor
- Visitar la puerta del Sol
- Pasear por el parque del Retiro
- Visitar el Palacio Real
- Ver la Cibeles y el palacio de Comunicaciones
- Comer en el restaurante Botín
- Probar el cocido madrileño
- Ir al Rastro

b) Mira su agenda de nuevo. Escribe las cosas que han hecho y las que no han hecho todavía.

- "Ya he ido al Museo del Prado".
- "Todavía no he ido al Centro de Arte Reina Sofía".

7 a) Decide con tus compañeros qué consideráis necesario para conocer un poco la ciudad donde estáis. Luego escríbelo en el recuadro.

	YA	AÚN/TODAVÍA NO
Ir a		
Estar en		
Visitar		

b) Señala tus respuestas.

c) Pregunta a tu compañero si ha hecho ya esas cosas y marca sus respuestas.

d) Comparad las respuestas de los dos. ¿Quién conoce mejor esa ciudad?

8 **a)** Observa estas fotos.

b) Imagina que eres una de esas personas. Piensa en algunas cosas importantes que has hecho en tu vida y escríbelas. Puedes usar el diccionario.

c) Enseña al profesor lo que has escrito.

d) Díselo a tus compañeros. ¿Saben quién eres?

9 **a]** **Lee las opiniones de estos cuatro estudiantes de español y decide dónde van las frases del recuadro.**

A. Hay que hacer ejercicios de pronunciación y entonación en clase.

B. Es muy importante aprender bien la gramática.

C. No me importa cometer algunos errores.

D. No sé si estoy hablando bien o mal.

«Cuando estudio una lengua, quiero hablar, comunicarme con las personas que hablan esa lengua. Mi objetivo es comprender lo que oigo y que la gente comprenda lo que digo, [1]... Por esa razón pienso que es necesario hablar mucho en clase».

«Si no estudias gramática, aprendes más lentamente y olvidas las cosas fácilmente, por eso [3]... ¡Ah!, y fuera de clase, en la calle, puedes aprender vocabulario, pero normalmente no aprendes gramática».

«Creo que es muy importante aprender a pronunciar y entonar frases correctamente. Muchas veces me siento muy frustrado porque quiero decir palabras que conozco, pero las pronuncio mal y la gente no me entiende. En mi opinión, [2]...».

«A veces, cuando hablamos, el profesor no nos corrige los errores, y eso no me gusta porque [4]...».

b] **Ahora responde a estas preguntas.**

¿Cuál de los cuatro estudiantes...

... piensa que el profesor debe corregirle siempre?

... cree que la gramática es fundamental?

... piensa que es importante hablar mucho en clase?

... cree que hay que hacer ejercicios de fonética en clase?

c] **Lee de nuevo y di qué personas crees que están estudiando español en un país de habla hispana. ¿Por qué?**

Creo que... porque...

10 **Y tú, ¿qué opinas? ¿Estás de acuerdo con ellos? Coméntalo con tu compañero.**

○ *Yo (no) estoy de acuerdo con... porque...*

○ *Pues yo creo que... porque...*

FÍJATE EN LA GRAMÁTICA

Creo / Pienso que (no)

—Yo (no) estoy de acuerdo con Lucy porque | creo / pienso | que...

—¿Y tú?, ¿qué | piensas / crees | ?

—Pues yo | creo / pienso | que Lucy (no) tiene razón porque...

¿Lo tienes claro?

11 **a]** **Escribe frases dando tu opinión sobre:**

- Lo más importante para aprender una lengua extranjera.
- Lo más difícil de la lengua española.
- Lo más fácil de la lengua española.

Creo
Pienso *que lo más importante para aprender una lengua extranjera es...*

b] **Ahora coméntalas con tus compañeros. ¿Están de acuerdo contigo?**

12 **a]** **Lee estas preguntas y habla con la clase.**

¿Qué haces tú para...

... aprender vocabulario?
... aprender gramática?
... comunicarte cuando no sabes una palabra?
... averiguar cómo se pronuncia una palabra?

¿Han dicho tus compañeros algo interesante que tú no haces en esas situaciones?

EL CANTE FLAMENCO

1 a) Pregunta al profesor lo que significan estas palabras:

• cariño   • vergüenza   • corazón   • hiciste   • cortar

b) Elige dos palabras y memorízalas. Luego cierra el libro y escucha la canción.
Ponte de pie cuando oigas una de ellas y siéntate cuando oigas la otra.

ica Latina

2 Ahora lee la letra de la canción y busca:

- Una palabra que significa «mentiroso».
- Lo contrario de «has querido».

DIME

Dime
si has mentido alguna vez
y dime si cuando lo hiciste
sentiste vergüenza de ser embustero.

Dime
dime
dime
si has odiado alguna vez
a quien hiciste creer
un cariño de verdad.

Dime
si siente tu corazón
como en sí mismo el dolor de tu hermano.

Dime
dime
dime
si has cortado alguna flor
sin que temblaran tus manos.
Dime

LOLE Y MANUEL: Dime (fragmento)

3 Escucha la canción lee y de nuevo.

4 Piensa en estas cuestiones y coméntalas con la clase.

- ¿Qué tipo de música es?
  ¿Qué sabes de él?
- ¿De qué parte de España es típica?
- ¿Has escuchado otras canciones de este estilo?
- ¿Puedes decir el nombre de algún intérprete de este tipo de música?

RECUERDA

COMUNICACIÓN

Hablar de experiencias personales
- □ ¿Has estado alguna vez en Moscú?
- o Sí, (he estado) dos veces. / No, (no he estado) nunca.
- □ ¿Has ido ya al Museo del Prado?
- o Sí, (ya he ido). / No, (todavía / aún) no (he ido).

GRAMÁTICA

Pretérito perfecto
(Ver resumen gramatical, apartado 3.3)
Ya – aún / todavía no
(Ver resumen gramatical, apartado 17)

COMUNICACIÓN

Expresar opiniones
- • Yo (creo / pienso) que el francés es bastante fácil.

Expresar acuerdo y desacuerdo
- • Yo (no) estoy de acuerdo con Margit.
- • Yo creo que Margit (no) tiene razón.

GRAMÁTICA

Con + pronombres personales
conmigo
contigo
con— usted/él/ella
nosotros/nosotras
vosotros/vosotras
ustedes/ellos/ellas
- • Pues yo no estoy de acuerdo contigo.
(Ver resumen gramatical, apartado 4.5)

1 **a)** Lee y completa el texto con estas frases.

• Viernes, sábado y domingo	• Quiere dar clases en la universidad	• Tiene un horario de noche

Juan Manuel Tardón (recepcionista). Trabaja en la recepción de un hotel y (1) ....: entra a las doce de la noche y sale a las ocho de la mañana. Tiene tres días libres por semana: (2) .... Normalmente duerme por la mañana. Por la tarde estudia Sociología en la universidad. Lo que más le gusta de su trabajo es que no ve mucho a su jefe; lo que menos, el horario. No está muy contento con su trabajo y cree que gana muy poco, pero sabe que es un trabajo temporal. Cuando termine la carrera, (3)............ .

b) Lee estas frases sobre lo que hace Juan Manuel un día normal y completa el cuadro con las horas. Usa también la información del texto anterior.

1. Tarda quince minutos en llegar al trabajo.
2. Se acuesta cuando llega a casa.
3. Duerme siete horas diarias.
4. Come un cuarto de hora después de levantarse.
5. Empieza las clases a las cinco de la tarde.
6. Tiene cinco horas de clase al día.
7. Generalmente cena hora y media antes de empezar a trabajar.

	HORA
• salir de casa	
• acostarse	
• levantarse	
• comer	
• empezar las clases	
• terminar las clases	
• cenar	

2 **a)** En grupos de cuatro. Escribid la pregunta correspondiente a cada uno de estos temas. Mirad los ejemplos.

1. Sexo.	....	8. Profesión.	....
2. Nacionalidad.	¿De dónde eres?	9. Número de horas de trabajo al día.	....
3. Lugar de residencia.	¿Dónde vives?	10. Contento/a con su trabajo.	....
4. Edad.	....	11. Hace los deberes normalmente.	....
5. Estado civil.	....	12. Número de horas que estudia español al día.	....
6. Hijos.	....	13. Lo que más le gusta de la clase de español.	....
7. Aficiones.	....	14. Lo que menos le gusta de la clase de español.	....

b) Decidle a la clase las preguntas que habéis escrito. ¿Creen que están bien? Si tenéis algún error, corregidlo.

c) Ahora haz esas preguntas a un miembro de tu grupo y anota sus respuestas.

d) Decidle las respuestas a un compañero para que las escriba en la pizarra. Luego haced el recuento de los resultados.

e) Cada grupo escribe un texto en el que describe cómo es el alumno medio de la clase usando la información anterior.

El alumno medio de esta clase es una chica inglesa que vive en...

f) Pasadle vuestro texto a otro grupo para que lo corrija y corregid el suyo. Después, comentad los posibles errores y corregidlos.

3 *a)* Mira estas fotos de Lanzarote y responde a las preguntas.

· *Valle de Palmeras.*   · *Playa del Papagayo.*   · *Parque nacional de Timanfaya.*   · *Jameos del Agua.*

¿Sabes dónde está Lanzarote?
¿Has estado alguna vez allí? ¿Te gustó?

b) Ahora escucha esta conversación telefónica entre Chema (de vacaciones en Lanzarote) y Rosa (en Madrid) y marca la columna correspondiente.

	Ya lo ha hecho	Aún / Todavía no lo ha hecho	No se sabe
· Estar en la playa del Papagayo.			
· Visitar el parque nacional de Timanfaya.			
· Estar en los Jameos del Agua.			
· Ir al mercado de Teguise.			
· Ver a Angelines.			
· Ir al restaurante recomendado.			
· Bañarse en el mar.			
· Comprarse la cámara.			

4 *a)* Busca cinco palabras difíciles en las lecciones 1–5 y escríbelas. Si no recuerdas cómo se dicen en tu lengua, míralas en el diccionario y escribe tu traducción.

b) En grupos de tres, por turnos. Un alumno dice una de esas palabras y los otros dos tienen que imaginar y representar un pequeño diálogo incluyéndola. Si no lo hacen correctamente, el primer estudiante obtiene un punto. Gana el que consigue más puntos.

5 Lee las instrucciones del juego y pregúntale al profesor lo que no entiendas:

SALIDA	**11** No ha venido a clase porque está enfermo	**12**	**23** La semana que viene voy estudiar mucho.	**24** ¿Nos trae un poco más de pan, por favor?
1 Dice que su hija está muy inteligente.	**10** ¿Cuánto tardas en llegar a casa?	**13** ¿No son tus padres en casa?	**22** Ayer fui al cine en bicicleta.	**25**
2 Hoy están muchos coches en la calle.	**9**	**14** Trabaja muchísimo: diez horas al día.	**21** Sigue todo recto y tome la segunda a la izquierda.	**26** ¡Qué bonitos!
3	**8** Tu hermano mayor está médico, ¿no?	**15**	**20**	**27** ¿Por qué eres tan contento hoy?
4 Mi pueblo es famoso para el vino.	**7** ¿Nunca no comes carne?	**16** A Luis no se gustan mis zapatos.	**19**	**28**
5	**6** Por la mañana voy a clase y por la tarde trabajo.	**17** Creo es alemana, pero no estoy seguro.	**18** Perdona por llegar tarde.	**29** Me duele muchísimo las piernas hoy.

INSTRUCCIONES.

1. En grupos de tres o cuatro. Juega con un dado y una ficha de color diferente a la de tus compañeros.
2. Por turnos. Tira el dado y avanza el número de casillas que indique.
3. Si caes en una casilla con una o varias frases, decide si están bien o mal y, en este caso, corrígelas.

35 ¿Qué hay hacer para aprender bien español?	**36** —Me encanta esquiar. — A mí sí.	**47** Pues yo termino de trabajar a las 6 en la tarde.	**48** —¿Qué van a tomar de postre? —Yo, una naranja. —Para mí un flan.	LLEGADA
34 ... pero los fines de semana no nos acostamos muy tarde.	**37** No me voy bien tan pronto. ¿Por qué no vamos a la siguiente sesión?	**46**	**49** ¿Sabes dónde está el teatro Romea?	**58** ¿Qué es que más te gusta de la clase?
33	**38** ¿Conoces París? — Sí, he estado muchas veces allí.	**45** Aún no he ido a la playa este año.	**50**	**57**
32 Mañana está un concierto muy bueno.	**39**	**44**	**51** Oye, perdona ¿tiene hora?	**56** ¿Qué es tu cantante favorito?
31	**40**	**43** Hoy ha venido mucha gente a clase, ¿no?	**52**	**55** Pues yo no estoy de acuerdo contigo.
30 Esta semana he escrito cinco cartas.	**41** —¿Saliste ayer por la tarde?	**42** —¿Está Quique? —¿De parte de quién?	**53**	**54** Vale, entonces quedamos a las 8 delante del cine.

4. Si tus compañeros están de acuerdo con lo que dices, quédate en esa casilla.
   • Si no están de acuerdo contigo, preguntad al profesor quién tiene razón.
   • Si estás equivocado, vuelve a la casilla donde estabas.
5. Si caes en el principio de una escalera, súbela. Si caes en un agujero, baja hasta el final.

preparación de la tarea

A) Lee el artículo y elige el título adecuado:

A. COMEMOS MÁS QUE ANTES

B. COMEMOS COMO ANTES

C. COMEMOS PEOR QUE ANTES

La dieta española, como la de otros muchos países, está cambiando. Los alimentos tradicionales están siendo sustituidos por otros, normalmente de origen norteamericano, que son peores para la salud porque tienen muchas grasas animales.

Actualmente tomamos menos legumbres, verduras, ensaladas, arroz y aceite de oliva que antes. Por el contrario, el consumo de hamburguesas, perritos calientes, sandwiches y patatas fritas es ahora mayor.

También cocinamos menos que antes y comemos más fuera de casa, a menudo alimentos con mucha grasa.

Las consecuencias de estos nuevos hábitos alimenticios son claramente negativas: el número de enfermedades relacionadas con la mala alimentación es cada vez mayor.

El Mundo del Siglo Veintiuno.
(Adaptado).

B) Busca dos alimentos tradicionales de España que aparecen en el texto.

¿Los has tomado alguna vez?

¿Te gustan?

C) Comenta ahora el artículo con tus compañeros.

¿En tu país está pasando lo mismo que en España?

Creo que la comida... porque...

Pues yo creo que....

¿Cuál es la dieta ideal?

En marcha

EN PAREJAS

1 **Escribid** un pequeño texto sobre la dieta de otro país, sin decir cuál es.

2 **Pasad** el texto a otra pareja para que adivine de qué país se trata, comentadlo y corregid los posibles errores.

3 **Pegad** los textos por la clase para que nuestros compañeros puedan leerlos y, entre todos, decidid qué país sigue una dieta mejor. No olvidéis justificar vuestra elección.

6

Ropa

1 **a]** **Lee estas palabras del recuadro y busca en un diccionario cinco que no conozcas.**

• vestido	• vaqueros	• abrigo	• chaqueta	• traje
• medias	• blusa	• jersey	• zapatos	• camisa
• bragas	• camiseta	• botas	• corbata	• calcetines
• pantalones	• calzoncillos	• sujetador	• falda	• cazadora

b] **Pregunta a tus compañeros el significado de las que te faltan.**

c] **Mira el dibujo y subraya en el recuadro anterior los nombres de las prendas que veas.**

PRONUNCIACIÓN

¿La sílaba más fuerte?

2 a) Copia todas las palabras de la actividad 1.

b) Escucha y subraya la sílaba más fuerte.

c) Escucha y repite.

3 a) Siéntate de espaldas a tu compañero y no le mires. Intenta recordar cómo va vestido y díselo. Él te dirá si es verdad o no.

- Llevas (una camisa blanca, unos vaqueros, unos zapatos negros...).
- (No, los zapatos no son negros). / (Sí).

b) Elige a un compañero y anota todo lo que lleva puesto. Díselo a la clase. ¿Saben quién es?

¿Qué lleva puesto tu compañero?

4 Escucha y lee.

○ Perdone, ¿cuánto cuesta esa blusa?
○ Cuarenta y siete euros.
○ ¿Y la blanca?
○ Noventa y dos. Es más cara, pero es mejor; es de seda.

FÍJATE EN LA GRAMÁTICA

COMPARATIVOS

Superioridad	Más + adjetivo + que
Igualdad	Tan + adjetivo + como
Inferioridad	Menos + adjetivo + que

○ Mi falda es **más** larga **que** tu falda.
○ Ese restaurante es **tan** caro **como** el otro.

Comparativos irregulares

| Más bueno → mejor |
| Más malo → peor |
| Más grande → mayor |
| Más pequeño → menor |

5 Ahora observa de nuevo el dibujo de la actividad 1 c) y escribe la palabra que corresponda.

1. Es más cara que el vestido.
La chaqueta

2. Es más corta que el vestido.
....

3. Es tan caro como el traje.
....

4. No son tan caros como la corbata.
....

5. Son tan caros como el jersey.
....

6. No es tan cara como la camiseta.
....

6 **a]** Observa el dibujo. Luego, busca los adjetivos necesarios para comparar las prendas.

43,5€

42€

68,5€

54€

60€

75€

54,1€

60€

15€

12,5€

42€

19,7€

43,5€

54€

56,3€

▦ largo-a/s	▦ feo-a/s
▦ moderno-a/s	▦ cómodo-a/s
▦ ancho-a/s	▦ incómodo-a/s
▦ estrecho-a/s	▦ caro-a/s
▦ bonito-a/s	▦ barato-a/s

b] Prepara frases sin mencionar de qué prenda se trata y díselas a tu compañero.
¿Sabe de qué prenda estás hablando?

◉ Son más anchos que los vaqueros azules.
◯ Los vaqueros negros.

- Buenas tardes. ¿Qué desea?
- ¡Hola! Quiero un vestido para mí.
- ¿Cómo lo quiere?
- Pues rojo y... no sé... Sí, de algodón.
- ¿Qué talla tiene?
- La treinta y ocho.
- Mire, tenemos estos modelos. ¿Le gusta alguno?
- Sí. ¿Puedo probarme este?

- Por supuesto. El probador está al fondo, a la izquierda.
  (...)
- ¿Qué tal le queda?
- Muy bien. ¿Cuánto cuesta?
- Sesenta y ocho euros.
- De acuerdo. Me lo llevo.
- Muy bien. Pase por caja, por favor.

8 Elige una prenda de la actividad 1 y practica con un compañero el diálogo de la actividad 7.

FÍJATE EN LA GRAMÁTICA

Pronombres de objeto directo

	MASCULINO	FEMENINO
SINGULAR	lo	la
PLURAL	los	las

- ¿Le gusta este abrigo?
- No. **Lo** quiero más largo.

- ¿Le gusta esta falda?
- No. **La** quiero más corta.

¿Lo tienes claro?

9 Escucha este diálogo entre un cliente y el dependiente de una tienda. Escribe:

¿Qué quiere?

_____

_____

¿Cómo la quiere?

_____

_____

¿Cuánto cuesta?

_____

¿Para quién es?

_____

¿De qué talla?

_____

¿Cómo le queda?

_____

¿La compra?

_____

10 Ahora vosotros.

Alumno A:

Eres el dependiente de una tienda de ropa.

Alumno B:

Estás en una tienda de ropa y quieres comprar algo para un amigo, pero no sabes qué.

No puedes gastar más de treinta euros.

Tu amigo tiene la misma talla que tú.

UN CÓMIC

1 **a)** Mira este chiste.

b) Busca en el diccionario el significado de: colocar, quitar.

c) Ahora pregunta a tu profesor qué significan: loco, loquita.

d) ¿Entiendes ahora el chiste?

ica Latina

2 a] En parejas. Terminad este chiste.

b] Decidles a vuestros compañeros lo
que habéis escrito. ¿Coincide con
lo creado por alguna pareja?

c] ¿Te gusta mucho el diálogo escrito
por alguna pareja? ¿Te han
enseñado algo tus compañeros en
esta actividad? Si lo deseas,
puedes tomar nota de ello.

RECUERDA

COMUNICACIÓN

Hacer comparaciones
- *Eres más alto que yo.*
- *Luisa es tan graciosa como Isabel.*

GRAMÁTICA

Comparaciones con adjetivos
- más + adjetivo + que
- tan + adjetivo + como
- no + verbo + tan + adjetivo + como
- menos + adjetivo + que

(Ver resumen gramatical, apartado 13)

COMUNICACIÓN

Comprar ropa
- ☐ Quiero un jersey.
- ○ ¿De qué color lo quiere?
- ☐ Negro.
- ○ ¿Es para usted?
- ☐ Sí.
- ○ ¿Qué talla tiene?
- ☐ La 40.
- ○ ¿Puedo probarme este?
- ☐ Por supuesto. El probador está al fondo,
  a la izquierda

GRAMÁTICA

Pronombres de objeto directo
lo, la, los, las
(Ver resumen gramatical, apartado 4.2)

Feliz cumpleaños

1 ¿Verdadero o falso? Observa el dibujo. Luego lee las frases y señala lo que está haciendo cada persona.

	V	F
1. La chica de la falda amarilla está bebiendo vino.	☐	☐
2. El señor del bigote está bailando.	☐	☐
3. La señora del vestido verde está abriendo la puerta.	☐	☐
4. El chico de la camisa blanca está sentándose.	☐	☐
5. La chica de los pantalones rojos está hablando con otra chica.	☐	☐
6. El chico de la cazadora marrón está comiendo algo.	☐	☐
7. La señora del vestido rojo está viendo los discos.	☐	☐
8. El chico de los pantalones marrones está escribiendo.	☐	☐
9. El señor de las gafas está quitándose la chaqueta.	☐	☐

FÍJATE EN LA GRAMÁTICA

Estar + gerundio

Para referirnos a una acción que se realiza en el momento en que estamos hablando o del que estamos hablando.

Verbos regulares

- AR	- ER	- IR
- ando	- iendo	- iendo

*trabaj*ando *comi*endo *escrib*iendo

Estar + gerundio

Estoy	**bail**ando
Estás	
Está	**beb**iendo
Estamos	
Estáis	**sal**iendo
Están	

---

2 **Lee de nuevo las frases de la actividad anterior y completa este cuadro.**

	-AR	-ER	-IR	Verbos reflexivos
Infinitivo	bailar hablar	comer beber ver	escribir abrir	sentarse quitarse
Gerundio	bailando	comiendo	escribiendo	sentándose ....

FÍJATE EN LA GRAMÁTICA

Estar + gerundio

Verbos irregulares

decir → diciendo
leer → leyendo
dormir → durmiendo

3 a) Observa otra vez el dibujo de la actividad 1 y prepara cinco frases de «¿Verdadero o falso?» para tu compañero.

La chica de la camiseta verde está bailando.

b) ¿Tenéis buena memoria? En parejas. Tapad la ilustración de la actividad 1 y preguntad qué están haciendo estas personas:

La chica de la falda marrón	El señor de las gafas	La chica de la falda amarilla	El chico de la camisa blanca	La señora del vestido verde

- *¿Qué está haciendo la chica de la falda marrón?*
- *No me acuerdo. / Está hablando con otra chica. / Sí / (Me parece que) No. (Creo que) Está...*

4 a) Escucha esta conversación. ¿Cuántos verbos dicen en gerundio?

b) Escucha y completa el cuadro.

	¿Dónde está?	¿Qué está haciendo?
La abuela		
Marta		
Carlitos		
Sonia		

5 **a)** En parejas.

Alumno A:

Mira el dibujo y escribe los nombres al lado de cada una de las personas. Luego responde a las preguntas de tu compañero.

Antonio   Marisol   David   Laura
Alicia   Miguel   Olga
Luis   Cristina   Julio   Javier
Marisa   Nuria

Antonio   Marisol   David   Laura
Alicia   Miguel   Olga
Luis   Cristina   Julio   Javier
Marisa   Nuria

Alumno B:

Pregunta al alumno A qué está haciendo cada una de las siguientes personas. Escribe los nombres de estas personas al lado de cada una de ellas.

b) Ahora podéis cambiar de papel y realizar de nuevo la actividad.

6 **a)** Imagina que estás haciendo una cosa. Piensa, también, dónde la estás haciendo y escríbelo en un papel.

Estoy nadando en el mar.

b) Ahora haz mimo. Tus compañeros tienen que adivinar qué estás haciendo y dónde. Tú solo puedes decir «sí» o «no».

- *¿Estás nadando?*
- *Sí.*
- *¿Estás nadando en un río?*
- *No.*
- *¿En una piscina?*
- *No,*
- *¿Estás nadando en el mar?*
- *Sí.*

 PRONUNCIACIÓN

Entonación

7 **a)** Escucha y marca la frase que oigas.

1. A: Solo tiene 10.000 habitantes.
B: ¿Solo tiene 10.000 habitantes?
C: ¡Solo tiene 10.000 habitantes!

2. A: Es muy alto.
B: ¿Es muy alto?
C: ¡Es muy alto!

3. A: Le gusta el vino.
B: ¿Le gusta el vino?
C: ¡Le gusta el vino!

4. A: Porque no quieres.
B: ¿Por qué no quieres?
C: ¡Porque no quieres!

5. A: Está leyendo la sección de deportes.
B: ¿Está leyendo la sección de deportes?
C: ¡Está leyendo la sección de deportes!

6. A: Va todos los días al cine.
B: ¿Va todos los días al cine?
C: ¡Va todos los días al cine!

7. A: Están durmiendo.
B: ¿Están durmiendo?
C: ¡Están durmiendo!

8. A: Está de vacaciones.
B: ¿Está de vacaciones?
C: ¡Está de vacaciones!

9. A: Porque no trabajas.
B: ¿Por qué no trabajas?
C: ¡Porque no trabajas!

b) Escucha y repite esas frases.

c) En parejas. Elegid una frase de la actividad 1 e incluidla en un diálogo entre dos personas. Luego, escribid el diálogo.

d) Ahora representadlo. Vuestros compañeros tienen que decir qué frase es exactamente.

8 a) Escucha y lee.

Paco: ¡Hola! ¡Felicidades!

Lola: ¡Hola! Gracias, Paco.

Paco: ¡Feliz cumpleaños!
Toma, esto es para ti.

Lola: Humm... Muchas gracias.
A ver, a ver qué es...
¡Unos pendientes! ¡Qué bonitos!

Paco: ¿Te gustan?

Lola: Me encantan. Ahora te presento a la gente,
pero antes vamos a comer algo.

Paco: ¡Buena idea!

Lola: Coge, coge.

Paco: Sí, gracias... Humm... ¡qué buenos!

Lola: ¿Quieres un poco de vino?

Paco: Sí, pero solo un poco.

(...)

Lola: Coge un trozo de tarta, que está muy buena.

Paco: No, de verdad, gracias. Es que ya no
puedo más.

b) Responde.

• ¿Cuántas veces ofrecen cosas?   • ¿Cuántas veces las aceptan?   • ¿Cuántas las rechazan?

9 Escucha y repite.

- ¡Felicidades!
- ¡Feliz cumpleaños!
- Toma, esto es para ti.
- ¡Unos pendientes! ¡Qué bonitos!

- ¿Quieres un poco de vino?
- Coge, coge un poco de tarta,
  que está muy buena.
- No, de verdad, gracias. Es que ya no puedo más.

10 a) En parejas.

Alumno A:

Tu compañero está en tu casa. Ofrécele alguna de estas cosas.

Alumno B:

Estás en casa de tu compañero. Él te va a ofrecer cosas. Tú puedes aceptarlas o rechazarlas. Si rechazas algo, dile por qué.

- ¿Quieres...?
- Coge...

b) Ahora cambiad de papel.

11 a) Observa este calendario y lee los meses del año.

ENERO	FEBRERO	MARZO
1 2 3 4 5 6	1 2 3	1 2 3
7 8 9 10 11 12 13	4 5 6 7 8 9 10	4 5 6 7 8 9 10
14 15 16 17 18 19 20	11 12 13 14 15 16 17	11 12 13 14 15 16 17
21 22 23 24 25 26 27	18 19 20 21 22 23 24	18 19 20 21 22 23 24
28 29 30 31	25 26 27 28	25 26 27 28 29 30 31

ABRIL	MAYO	JUNIO
1 2 3 4 5 6 7	1 2 3 4 5	1 2
8 9 10 11 12 13 14	6 7 8 9 10 11 12	3 4 5 6 7 8 9
15 16 17 18 19 20 21	13 14 15 16 17 18 19	10 11 12 13 14 15 16
22 23 24 25 26 27 28	20 21 22 23 24 25 26	17 18 19 20 21 22 23
29 30	27 28 29 30 31	24 25 26 27 28 29 30

JULIO	AGOSTO	SEPTIEMBRE
1 2 3 4 5 6 7	1 2 3 4	1
8 9 10 11 12 13 14	5 6 7 8 9 10 11	2 3 4 5 6 7 8
15 16 17 18 19 20 21	12 13 14 15 16 17 18	9 10 11 12 13 14 15
22 23 24 25 26 27 28	19 20 21 22 23 24 25	16 17 18 19 20 21 22
29 30 31	26 27 28 29 30 31	23 24 25 26 27 28 29
		30

OCTUBRE	NOVIEMBRE	DICIEMBRE
1 2 3 4 5 6	1 2 3	1
7 8 9 10 11 12 13	4 5 6 7 8 9 10	2 3 4 5 6 7 8
14 15 16 17 18 19 20	11 12 13 14 15 16 17	9 10 11 12 13 14 15
21 22 23 24 25 26 27	18 19 20 21 22 23 24	16 17 18 19 20 21 22
28 29 30 31	25 26 27 28 29 30	23 24 25 26 27 28 29
		30 31

b) Escucha los nombres de los meses y subraya la sílaba más fuerte.

12 Elige un día del calendario de la actividad 11. Tus compañeros tienen que averiguar cuál es.

○ ¿Es en agosto?
○ No, después.
○ ¿En noviembre?
○ No, antes.
○ ¿En octubre?
○ Sí.
○ ¿Es un lunes?
○ No.
○ ¿Un jueves?
○ Sí.
○ ¿Es el día 24?
○ No, antes.

13 Pregunta a tus compañeros qué día es su cumpleaños y haz una lista con los nombres y las fechas.

○ ¿Qué día es tu cumpleaños?
○ El (veintiséis) de (junio). ¿Y el tuyo?
○ El (cinco) de (marzo).

¡No te olvides de felicitarles el día de su cumpleaños!

¿Lo tienes claro?

14 En grupos de cuatro [A, B, C y D].

Alumno A:

a) Es tu cumpleaños y has invitado a varios amigos y amigas a una fiesta en tu casa. Piensa en la comida y bebida que vas a preparar.

b) Ofrece a tus invitados lo que has preparado.

Alumno B:

a) Un amigo tuyo (A) te ha invitado a una fiesta de cumpleaños en su casa. Decide qué le vas a regalar.

b) Felicita a tu amigo y entrégale el regalo.

Alumno C:

a) Un amigo tuyo (A) te ha invitado a una fiesta de cumpleaños en su casa. Decide qué le vas a regalar.

b) Felicita a tu amigo y entrégale el regalo.

Alumno D:

a) Un amigo tuyo (A) te ha invitado a una fiesta de cumpleaños en su casa. Decide qué le vas a regalar.

b) Felicita a tu amigo y entrégale el regalo.

EL DÍA DE LOS MUERTOS

1 **a]** Estas fotos corresponden a unos actos que se realizan cada año en México. Obsérvalas y di si te hacen pensar en algo alegre o triste.

b] Lee y comprueba. Puedes usar el diccionario.

Los días uno y dos de noviembre se celebra en México la fiesta de los muertos, una de las más importantes del año. Curiosamente, no son unos días tristes, sino muy alegres. Ello es debido a la especial relación que el mexicano tiene con la muerte, una relación natural en la que la idea de la muerte no causa el miedo que produce en otros países. En muchos lugares de México, esos días los muertos reciben la bienvenida al mundo de los vivos y muchos familiares van a los cementerios a comer y a llevar a los muertos las cosas que más les gustaban cuando estaban vivos. Hay personas que incluso organizan conciertos ante la tumba. Y en las casas se hacen altares en torno al retrato del difunto.

La flor típica de esa fiesta es la caléndula, que según los mexicanos provoca la alegría de los muertos. No son pocas las personas que las utilizan para hacer un camino desde la tumba hasta sus casas. También son típicas las calacas, cráneos de azúcar o chocolate, muy decorados, que se regalan y llevan el nombre de la persona a la que van destinados. Esos días podemos ver, además, figuras de papel, cartón, azúcar, etcétera, que representan a los muertos realizando actividades de la vida cotidiana: hablan por teléfono, viajan, venden cosas...

c] Lee de nuevo y subraya la opción apropiada.

1. Los dos primeros días de noviembre, muchos mexicanos están muy `contentos` preocupados.
2. En México, la muerte produce `más` menos miedo que en otras partes del mundo.
3. Esos días, `poca` mucha gente toma los platos favoritos de sus muertos.
4. Muchos mexicanos creen que existe una flor que ayuda a los muertos a estar `contentos` tristes.
5. Las calacas se pueden `beber` comer.

rica Latina

d] **¿Hay algo que te sorprenda? Díselo a la clase.**

e] **Y en tu país, ¿cómo se celebra el Día de los Muertos? Coméntalo con tus compañeros.**

RECUERDA

COMUNICACIÓN

Decir qué se está haciendo
- □ ¿Qué haces?
- ○ *Estoy esperando a Gustavo.*

GRAMÁTICA

Estar + gerundio
(Ver resumen gramatical, apartados 3.7 y 14)

Verbo estar
- ■ Descripción de situaciones (estar + gerundio).
  Luis está viendo la televisión y Julia está leyendo.

COMUNICACIÓN

Ofrecer regalos
Toma, esto es para ti.

GRAMÁTICA

Para + pronombres personales
(Ver resumen gramatical, apartado 4.5)

COMUNICACIÓN

Valorar cosas
- • ¡Qué bonita es! • ¡Qué originales!

Preguntar y decir la fecha del cumpleaños
- □ ¿Qué día es tu cumpleaños?
- ○ *El treinta y uno de octubre.*

GRAMÁTICA

Frases exclamativas
- ■ ¡Qué + adjetivo (+ verbo)!
  (Ver resumen gramatical, apartado 11)

Verbo ser
- ■ Valoración de objetos.
  (Este reloj) Es precioso.
- ■ Localización en el tiempo.
  Mi cumpleaños es el dos de enero.
  (Ver resumen gramatical, apartado 6.1)

COMUNICACIÓN

Ofrecer comida o bebida y aceptarla o rechazarla
—¿Quieres un poco de vino?
—Sí, gracias. (Pero muy poco). / No, gracias. / No, de verdad, gracias. Es que ya no puedo más.

GRAMÁTICA

Verbo estar
- ■ Valoración de alimentos consumidos.
  ¡Qué buena está esta tarta!
  (Ver resumen gramatical, apartado 6.2).

Contar un viaje

• Hablar del pasado. Contar un viaje

---

1 Mira estas fotos y responde a las preguntas.

Las Ramblas

La estatua de Colón

La Sagrada Familia

El parque Güell

La catedral

La Fundación Miró

1 ¿Te gustan?

2 ¿Sabes de qué ciudad son?

3 ¿Has estado alguna vez allí?

4 ¿Por qué es famosa?

2 Lee esta postal escrita en Barcelona y di los lugares de la actividad 1 que ha visitado Cristina.

3 En el texto de la postal aparecen verbos en pretérito indefinido. ¿Recuerdas ese tiempo verbal? Léela de nuevo y escribe las formas que corresponden a ese tiempo de los siguientes verbos.

venir	– *vine*
salir	–

gustar	–
visitar	–
estar	–

ir	–
conocer	–

¿Cuáles son irregulares?

FÍJATE EN LA GRAMÁTICA

Pretérito indefinido

Verbos regulares:

	-AR Visitar	-ER Conocer	-IR Salir
(yo)	visité	conocí	salí
(tú)	visitaste	conociste	saliste
(él/ella/usted)	visitó	conoció	salió
(nosotros/as)	visitamos	conocimos	salimos
(vosotros/as)	visitasteis	conocisteis	salisteis
(ellos/ellas/ustedes)	visitaron	conocieron	salieron

Verbos irregulares:

	IR/SER	ESTAR	VENIR	HACER
(yo)	fui	estuve	vine	hice
(tú)	fuiste	estuviste	viniste	hiciste
(él/ella/usted)	fue	estuvo	vino	hizo
(nosotros/as)	fuimos	estuvimos	vinimos	hicimos
(vosotros/as)	fuisteis	estuvisteis	vinisteis	hicisteis
(ellos/ellas/ustedes)	fueron	estuvieron	vinieron	hicieron

4 a) Escucha y subraya la sílaba más fuerte de estas formas verbales en pretérito indefinido.

visité	salí	fui	hice	estuve
conociste	visitaste	estuviste		
visitó	salió	fue	vino	estuvo
conocimos	visitamos	estuvimos		
salisteis	vinisteis	estuvisteis		
visitaron	conocieron	estuvieron		vinieron

b) Ahora subraya la sílaba más fuerte de las formas que aparecen en la sección «Fíjate en la gramática» y completa el cuadro.

5 a) Lee estas referencias temporales (usamos con ellas el pretérito indefinido).

- ayer
- hace dos semanas
- en Navidad
- anteayer
- el otro día
- el mes pasado
- en 1975
- el año pasado
- en julio
- hace tres meses
- la semana pasada
- el 15 de junio de 1977

b) Ordénalas y colócalas en esta «línea del tiempo» (de la más próxima a la más alejada del presente).

hoy

ayer

6 a) En grupos de cuatro (A - B - C - D). Piensa en algo importante que hiciste en alguno de los momentos citados en la actividad 5 y escríbelo.

El año pasado conocí a mi novio.

b) Coméntalo con tus compañeros. ¿Hizo alguien algo interesante, divertido, sorprendente o extraño?

7 Escucha y repite lo que oigas solo si es verdadero. Si es falso, no digas nada.

8 ¿Qué expresión te sugiere cada uno de estos dibujos? Escríbela.

- alojarse en un hotel
- hacer auto-stop
- ir de cámping
- hacer la maleta
- ir de excursión
- coger el avión

alojarse en un hotel

9 **a)** Escribe en la columna cuándo hiciste estas cosas por última vez.

	TÚ	TU COMPAÑERO
▦ Ir de cámping.		
▦ Hacer la maleta.		
▦ Coger el avión.		
▦ Hacer auto-stop.		
▦ Pasar un fin de semana en el campo.		
▦ Alojarse en un hotel.		
▦ Ir de excursión.		

b) Ahora pregúntale a tu compañero y escribe sus respuestas en la otra columna.

◉ ¿Cuándo fuiste de cámping por última vez?
◉ El verano pasado. / En agosto. / Hace tres semanas. / ...

c) Compara sus respuestas con las tuyas. Luego habla con otros compañeros y averigua cuál es la pareja de la clase que coincide en más cosas.

Pues (Diana) y yo (fuimos de cámping el año pasado) y...

10 ¿Verdadero o falso? Escucha esta conversación y marca la opción correcta.

	V	F
Llegó a Toledo a las diez de la noche.	☐	☐
Por la mañana estuvo en la catedral.	☐	☐
Por la noche fue a una discoteca.	☐	☐
No bailó nada en la discoteca.	☐	☐
Volvió a Madrid el domingo por la mañana.	☐	☐

11 En parejas.

Alumno A

1. Usa las pautas para preguntarle al alumno B lo que no sabes sobre el viaje que hizo Maite y escribe las respuestas. Usa la información de los dibujos para responder a sus preguntas.

¿Adónde fue?

¿Cómo?

¿Con quién?

¿Actividades/domingo?   ¿Gustar/comida?

2. Comprueba si coincide lo que has escrito con los dibujos de tu compañero.

Alumno B

2. Comprueba si coincide lo que has escrito con los dibujos de tu compañero.

¿Gustar/teatro?
¿Actividades/sábado?

¿Alojamiento?

¿Y qué día fue?

A Santiago de Chile.

Santiago de Chile

1. Responde a las preguntas del alumno A con la información de los dibujos. Usa las pautas para preguntarle lo que no sabes y escribe las respuestas.

12 Piensa en el mejor viaje de tu vida (o en uno de los mejores). Luego cuéntaselo a tus compañeros. Puedes fijarte en la actividad anterior.

El mejor viaje de mi vida fue en mayo del año pasado. Fui con mis amigos a...

¿Lo tienes claro?

13 a) Imagina que estás pasando el fin de semana en un lugar que te gusta mucho.
Escribe una postal a un compañero de clase, pero ¡no la firmes!

¡Hola!...

Ayer fui..., estuve...

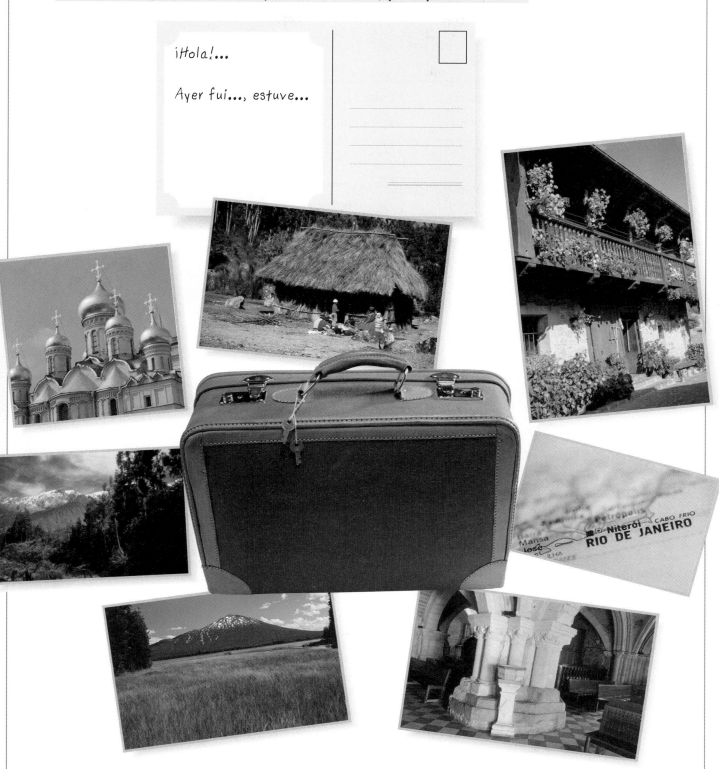

b) Dásela a tu profesor para que la exponga en la clase. Cada destinatario deberá
adivinar quién la ha escrito.

LAS ISLAS GALÁPAGOS

1 a] Averigua qué significan las palabras que no entiendas.

- volcánico
- fauna
- flora
- especies (animales y vegetales)
- medio ambiente
- evolución
- científico
- galápago

Las islas Galápagos están situadas en el océano Pacífico, a unos 1.000 kilómetros al oeste de Ecuador, país al que pertenecen. Son de origen volcánico; su fauna y flora tienen mucho interés científico, y una buena parte de sus especies animales son únicas en el mundo.

Allí viven muchos animales que han desarrollado características especiales para adaptarse al medio ambiente. Así, existen diferencias entre animales de la misma especie de las Galápagos y del continente americano, e incluso entre animales de las distintas islas. Eso lo observó y lo analizó el famoso naturalista inglés Charles Darwin cuando visitó las islas en 1835. Varios años más tarde publicó *El origen de las especies*, obra en la que expone sus teorías de la evolución de las especies; en ella explica que los animales y las plantas evolucionan cuando se adaptan al ambiente en que se desarrollan.

Desde 1959 son parque nacional de Ecuador. Aquel año se creó también la Estación de Investigación Charles Darwin, donde trabajan científicos de diversos países. En 1979, la UNESCO las declaró Patrimonio Natural de la Humanidad.

En la actualidad, el turismo está regulado por leyes muy estrictas que tienen como objetivo la protección de la flora y la fauna. Una de ellas establece que todas las personas que visiten el parque nacional deben ir acompañadas por un guía.

Entre sus muchos animales característicos podemos destacar los leones marinos, la iguana marina y la tortuga gigante. Esta última, llamada también galápago, vive unos 150 años y llega a pesar 3.000 kilos. Una peculiaridad de los animales de las Galápagos es que no tienen miedo al hombre; por eso es posible tocarlos y nadar o caminar entre ellos.

rica Latina

b] Las palabras anteriores aparecen en el artículo sobre las islas Galápagos. Utilízalas para expresar algunas informaciones que crees que encontrarás en él.

c] Lee el texto y comprueba.

d] ¿Qué informaciones te han parecido más interesantes? Habla de ellas con tus compañeros.

RECUERDA

COMUNICACIÓN

Hablar del pasado

- ☐ ¿Qué hiciste el sábado?
- ○ *Estuve en Salamanca.*
- ☐ ¿Con quién fuiste?
- ○ *Con Alicia.*
- ☐ ¿Qué viste?
- ○ *La Plaza Mayor, la Casa de las Conchas, la catedral...*
- ☐ ¿Te gustó?
- ○ *Sí, mucho.*

GRAMÁTICA

Pretérito indefinido

- ■ **Verbos regulares**
  (Ver resumen gramatical, apartado 3.2.1)
- ■ **Verbos irregulares**
  - • *ir / ser*

fui
fuiste
fue
fuimos
fuisteis
fueron

(Ver resumen gramatical, apartado 3.2.2.1.)

- • *estar*   • *venir*   • *hacer*

estar	venir	hacer
estuve	vine	hice
estuviste	viniste	hiciste
estuvo	vino	hizo
estuvimos	vinimos	hicimos
estuvisteis	vinisteis	hicisteis
estuvieron	vinieron	hicieron

(Ver resumen gramatical, apartado 3.2.2.2.)

Preposiciones

- ■ *En*
  - • *En mayo.*   • *En navidades.*   • *En 1980.*
- ■ *De*
  - • *El 14 de abril de 1975.*

Famosos

• Contar la vida de una persona

---

1 **a]** **¿Te acuerdas de alguno de los principales monumentos de Barcelona? ¿Sabes algo de la Sagrada Familia y del parque Güell?**

El parque Güell

La Sagrada Familia

La Casa Batlló

---

b] **Los tres son obra del mismo artista. Aquí tienes su biografía; léela.**

Antonio Gaudí nació cerca de Reus (Tarragona) en el año 1852. A los quince años publicó algunos dibujos en una revista escolar. En 1873 empezó los estudios de arquitectura en Barcelona y los terminó en 1978. Aquel mismo año, don Eusebio Güell, mecenas que más tarde le estimuló en su labor artística, descubrió algunos trabajos suyos en la Exposición Universal de París.

Era una persona muy religiosa, y en 1883 aceptó continuar las obras del templo de la Sagrada Familia, comenzadas dos años antes. En el año 1900 empezó el proyecto del parque Güell, y en 1904, el de la Casa Milà. Posteriormente rechazó otros encargos profesionales para dedicarse enteramente a la construcción del citado templo. El día 7 de junio de 1926 fue atropellado por un tranvía y murió tres días más tarde, sin haber terminado su obra más importante: la Sagrada Familia.

---

c] **Ahora escribe cuatro preguntas sobre la vida de Gaudí y formúlaselas a tu compañero.**

2 **a]** Lee el texto de nuevo y subraya las formas del pretérito indefinido.

b] Elige seis de esas formas y escribe tres frases verdaderas y tres frases falsas sobre lo que quieras.

Goya nació en Portugal. (FALSA)

c] Ahora pásaselas a tu compañero. ¿Sabe si son verdaderas o falsas?

3 Relaciona cada palabra o expresión con un dibujo. Puedes usar el diccionario o preguntar a tus compañeros o al profesor.

- casarse   - nacer   - divorciarse   - conocer   - tener hijos   - entrar en la universidad
- morirse   - jubilarse   - empezar a trabajar   - volver a casarse   - licenciarse

A. *Nacer*

Pretérito indefinido

Para contar la vida de una persona

Nació en Antigua (Guatemala) en 1912.

En 1932 *empezó* arquitectura y terminó en 1938.

Se casó muy joven en 1935.

Murió en Bogotá en 1986.

FÍJATE EN LA GRAMÁTICA

4 Ahora usa la información de los dibujos para escribir la biografía de Ernesto Echevarría.

Ernesto Echevarría nació en Buenos Aires en 1922. En 1940 entró en la Universidad de Madrid, donde estudió Ciencias Económicas...

5 **a]** Escucha esta entrevista de un programa de radio y haz una lista de los años que oigas.

b] Escucha de nuevo la entrevista y escribe qué hizo la persona entrevistada en cada uno

¡NO MIRES LA INFORMACIÓN DE B!

1. Lee esta ficha con información sobre Pepe Ferrer.

Alumno A

DATOS PERSONALES

¿año?

¿terminó los
estudios?

¿con quién?

¿dónde?

Nombre:	Pepe Ferrer.
Nacimiento:	Valencia (.........).
Estudios:	Bachillerato (Valencia, 1959-1965). Psicología (Madrid, 1965-1967).
Estado Civil:	Casado (Madrid, 1970).
Muerte:	Accidente de tráfico (1972).

OTROS DATOS DE INTERÉS

¿qué drogas?

- Padre músico.
- Dos semanas en prisión por consumo de drogas (1971).

DATOS PROFESIONALES

¿con otros
cantantes?

¿qué papel
hizo?

¿por qué
países?

1968: Primer concierto (Vigo).

1969: Primer disco (*Aquí mismo*).

1970: Actuación en el Festival de Ibiza.
Intervención en la película *Águilas rosas*, de Juan Aguado.

1971: Segundo disco (*¿Qué más?*).

1972: Gira europea. Gran éxito.

2. Usa las pautas que hay a la izquierda de la ficha para pedir información a tu compañero sobre lo que está en negrita y escribe las respuestas. Luego responde a sus preguntas.

3. Comprueba lo que has escrito con el artículo de tu compañero.

Alumno B

¡NO MIRES LA INFORMACIÓN DE A!

1. Lee este artículo sobre Pepe Ferrer.

HISTORIA DEL ROCK ESPAÑOL

Pepe Ferrer es uno de los músicos más interesantes de la historia del rock español. **Nació** en Valencia en el año 1948. Cuando **terminó el Bachillerato**, se trasladó a Madrid. En 1965 entró en la Universidad, pero dos años más tarde abandonó los **estudios**.

En 1968 dio su primer concierto y un año más tarde sacó su primer disco (*Aquí mismo*). En 1970 **se casó** con la actriz Emma Muro y actuó en el Festival de Ibiza junto a Paco Riba, Jaime Tita, Frank Tappa y Félix Claxon. Posteriormente **intervino en la película** *Águilas Rosas*, donde hizo el papel de hermano de la protagonista.

En 1971 sacó su segundo disco (*¿Qué más?*) y **estuvo en prisión** por consumir marihuana en público. En 1972 **hizo una gira** por Italia, Francia, Holanda, Alemania y el Reino Unido. En noviembre de ese mismo año murió en un accidente de tráfico cerca de Barcelona.

¿año?

¿qué estudios?

¿dónde?

¿director?

¿cuánto tiempo?

¿qué tal la gira?

2. Responde a las preguntas de tu compañero. Luego usa las pautas que están a la izquierda de tu artículo para pedir información a tu compañero sobre lo que está en negrita. Escribe las respuestas.

3. Comprueba lo que has escrito con la ficha de tu compañero.

7 a) Dos grupos (alumnos A y alumnos B).

1. Lee individualmente la biografía que te corresponda y pregunta a los miembros de tu grupo o al profesor qué significan las palabras que no conozcas.

Este escritor y periodista latinoamericano nació en 1928 y vivió los ocho primeros años de su vida con sus abuelos. En 1947 empezó la carrera de Derecho para contentar a sus padres y empleó los años de sus estudios para leer mucha literatura de todas las épocas, sobre todo novelistas rusos e ingleses del siglo XIX, a quienes siempre ha admirado. Trabajó de periodista en su país y en la agencia de noticias cubana Prensa Latina, de la que fue uno de sus fundadores. En 1955 publicó su primera novela, y en 1967, su obra más famosa, *Cien años de soledad*. En 1982 ganó el Premio Nobel de literatura. También ha escrito guiones de cine y desde 1985 ha colaborado en la dirección de la Escuela Internacional de Cine de La Habana (Cuba), con el objetivo principal de formar cineastas latinoamericanos. Es una persona muy imaginativa que trata la realidad de su país, Colombia, de manera fantástica, mágica y humorística. Además, siempre ha tenido un compromiso con los más pobres.

Grupo A

Grupo B

Nació en Málaga en 1881. A los catorce años se fue a vivir a Barcelona con su familia. En 1901 se trasladó a Madrid, donde fundó una revista. Se casó dos veces y tuvo varios hijos. Era una persona muy humana y muy interesada por los problemas sociales y políticos. La guerra civil española fue motivo de una obra suya muy importante. En 1966 ganó el Premio Lenin de la Paz. Cuatro años más tarde cedió novecientas obras suyas a la ciudad de Barcelona. De una gran capacidad de trabajo, realizó muchas obras en diferentes campos artísticos: cerámica, pintura y escultura. En 1972, la Universidad de París le nombró doctor *honoris causa*. Cuando cumplió noventa años, Francia, país en el que vivió desde 1904, le hizo un gran homenaje nacional. Murió en 1973 y es uno de los españoles más famosos de todos los tiempos.

2. Decide con los miembros de tu grupo a qué famoso corresponde la biografía que has leído.

3. Contad entre todos la vida de esa persona sin mirar el texto.

b) En parejas (A-B). Ahora cuéntasela a tu compañero. ¿Sabe de qué famoso estás hablando?

PRONUNCIACIÓN

La sílaba fuerte

8 Escucha y escribe la sílaba más fuerte en la columna correspondiente.

☐	■		☐	■	☐
Na	cí		Pa	sas	te

¿Lo tienes claro?

9 Habla con tu compañero del mejor año de tu vida. Dile cuál fue, por qué y qué otras cosas hiciste ese año.

10 Ahora en grupos de cuatro.

Alumno A:
Eres María Morales, famosa actriz norteamericana de origen mexicano que acaba de llegar a Madrid para presentar su última película.

Alumno B:
Eres el marido de María Morales y acompañas a tu mujer en su viaje a Madrid.

Alumnos C/D:
Sois periodistas y vais a entrevistar a María Morales, famosa actriz norteamericana, y a su marido en la sala de prensa del aeropuerto de Barajas.

a) Alumnos A/B: Reconstruid la vida de María Morales a partir de los datos biográficos. Pensad también en sus proyectos.
Alumnos C/D: Leed estos datos biográficos y escribid las preguntas que vais a hacer en la rueda de prensa. No os olvidéis de preguntarles por sus proyectos.

DATOS PERSONALES
- NOMBRE: María Morales.
- FAMILIA: Padre mexicano y madre norteamericana. Dos hermanos. Casada dos veces. Un hijo.
- ESTUDIOS: Arte. Universidad Autónoma de México.

OTROS DATOS
- Doce películas.
- Trabajó con prestigiosos directores.
- Oscar a la mejor actriz por su interpretación en *Café y chocolate*.
- Colaboración en dos obras de teatro.
- Videoclip *Salvemos la Amazonia*.

b) Haced la entrevista. Podéis grabarla.

SIMÓN BOLÍVAR

1 **a)** Comenta con tus compañeros las respuestas a estas preguntas.

1) ¿Has pensado alguna vez que podrían existir los Estados Unidos de América del Sur, una confederación de todas las naciones latinoamericanas?
2) ¿Crees que a lo largo de la historia ha habido personas que han intentado conseguir esa unión de naciones?

b) Lee y comprueba. Puedes usar el diccionario.

SIMÓN BOLÍVAR, "el libertador", es el personaje más importante en la historia de la independencia de los países latinoamericanos. Nació en Caracas en 1783, estudió en Venezuela y Europa, y posteriormente ingresó en el ejército. Su ideal fue la liberación de las colonias españolas y unirlas en una gran nación. Después de obtener varias victorias ante los españoles, liberó los territorios que actualmente corresponden a Colombia, Ecuador, Panamá y Venezuela. Con ellos formó la República de la Gran Colombia y fue nombrado su presidente. En 1824 colaboró en la liberación de Perú y un año más tarde también fue nombrado presidente de Bolivia.

Pero su proyecto de unión de las repúblicas latinoamericanas tuvo unas dificultades que no pudieron ser superadas. Las diferencias ideológicas, los problemas locales y la crisis económica fueron algunas de ellas. Las consecuencias no tardaron en llegar: en 1827 tuvo que renunciar a la presidencia de Perú, y en 1828 fue proclamado dictador para intentar evitar la división de la Gran Colombia, hecho que se produjo poco después.

c) Lee de nuevo y responde a estas preguntas:

1. ¿Por qué se llama "el libertador" a Simón Bolívar?
2. ¿Qué países formaron la República de la Gran Colombia?
3. ¿Cuál fue el ideal de Bolívar?
4. ¿Puedes mencionar alguno de los problemas que hicieron fracasar su proyecto?

rica Latina

d] ¿Qué informaciones del artículo te parecen más interesantes? Coméntalas con tus compañeros.

RECUERDA

C OMUNICACIÓN

Contar la vida de una persona
- *Simón Bolívar nació en Caracas en el año 1783.*
- *Estudió en Venezuela y Europa.*
- *En 1824 colaboró en la liberación de Perú.*

G RAMÁTICA

Pretérito indefinido
- ◼ Verbos regulares

  (Ver resumen gramatical, apartado 3.2.1)
- ◼ Verbos irregulares
  - *tener*

tuve
tuviste
tuvo
tuvimos
tuvisteis
tuvieron

    (Ver resumen gramatical, apartado 3.2.2.2)
  - *dormir*

dormí
dormiste
durmió
dormimos
dormisteis
durmieron

    (Ver resumen gramatical, apartado 3.2.2.2)

OBJETIVOS

- Pedir permiso. Conceder o denegar el permiso
- Pedir un favor y responder afirmativa o negativamente
- Preguntar si está permitido hacer algo en un sitio
- Pedir cosas y responder afirmativa o negativamente
- Pedir cosas prestadas y responder afirmativa o negativamente

Permiso y favores

1 a) Observa y lee.

b) Responde a las preguntas.

- ¿En qué diálogos se pide permiso para hacer algo?
- ¿En cuáles se pide un favor a otra persona?

Imperativo afirmativo

Cuando concedemos permiso, podemos usar el imperativo.

Verbos con imperativo regular:

	-AR pasar	-ER coger	-IR abrir
TÚ	pasa	coge	abre
USTED	pase	coja	abra

Hay verbos que en imperativo tienen la misma irregularidad que en presente de indicativo:

	cerrar	encender	pedir	volver
TÚ	cierra	enciende	pide	vuelve
USTED	cierre	encienda	pida	vuelva

Otros verbos con imperativo irregular:

	poner	venir	ir	hacer	decir	tener	salir
TÚ	pon	ven	ve	haz	di	ten	sal
USTED	ponga	venga	vaya	haga	diga	tenga	salga

Imperativo afirmativo + pronombres de objeto directo «lo», «la», «los», «las»

- ¿Puedo coger el lápiz?
- Sí, sí. Cógelo.
- ¿Puedo abrir la puerta?
- Sí, claro. Ábrela.
- ¿Puedo hacer los ejercicios ahora?
- Sí, claro. Hazlos.
- ¿Puedo cerrar las ventanas?
- Sí, sí. Ciérralas.

2 a) Lee las frases del 1 al 6.

1. ¿Puedo encender la luz?
   Es que no se ve casi nada.

2. Tengo que hablar con unos amigos.
   ¿Puedo hacer un par de llamadas?

3. Perdona, ¿puedo coger un cigarrillo?

4. Ángel, ¿puedo tirar estos periódicos a la basura?

5. ¿Puedes traerme el diccionario de inglés?

6. Casi no se oye, ¿verdad?
   ¿Puedo subir el volumen?

A. Es que no sé dónde está.

B. A ver… sí, sí, tíralos.

C. Sí, claro. Súbelo.

D. Sí, claro. Hazlas, hazlas.

E. Lo siento, pero es que solo me queda uno.

F. Sí, sí. Enciéndela.

b) Relaciona las preguntas con las respuestas.

c) Escucha y comprueba.

 PRONUNCIACIÓN

Entonación

3 Escucha y repite.

- ¿Puedo abrir la ventana?
- Sí, sí, ábrela.

- ¿Puedo cerrar la puerta?
- Sí, sí, ciérrala.

- ¿Puedo encender la radio?
- Sí, sí, enciéndela.

- ¿Puedo pasar?
- Sí, sí, pasa, pasa.

- ¿Puedo coger el periódico?
- Sí, sí, cógelo.

- ¿Puedo poner música?
- Sí, sí, ponla.

- ¿Puedo llamar por teléfono?
- Sí, sí, llama, llama.

4 **a)** Escucha los diálogos y marca la columna correspondiente.

	PIDE PERMISO	PIDE UN FAVOR
1		X
2		
3		
4		
5		

b) Escucha de nuevo y señala si las respuestas son afirmativas o negativas.

5 Ahora vosotros. En parejas.

Alumno A

Te vas de vacaciones y le pides unos favores a tu mejor amigo/a:

- Llevarte al aeropuerto.
- Dar de comer al perro.
- Sacarlo a pasear.
- Regar las plantas.
- Ir a recogerle al aeropuerto.

Si te pide permiso para hacer algunas cosas, decide si se lo concedes o no. Dile en cada caso por qué.

Alumno B

Tu mejor amigo/a se va de vacaciones la semana que viene y te va a pedir unos favores. Tú se los vas a hacer, claro. Luego, le pides permiso para hacer otras cosas:

- Usar su ordenador.
- Llevar amigos a su casa.
- Coger su bicicleta.
- Organizar una fiesta en su casa.

Explícale por qué.

6 **a]** Observa y lee.

b] Mira estas señales y carteles, y di dónde puedes encontrarlos.

c] Escribe qué se puede o no se puede hacer en cada caso. Puedes usar el diccionario si lo necesitas.

1. Se puede pagar con tarjeta de crédito.

7 **a)** Habla con tu compañero y haced una lista de cosas que se pueden hacer y otra de cosas que no se pueden hacer en la clase de español.

b) Ahora decídselo a la clase. ¿Qué cosas están en todas las listas? Escribidlas en un cartel grande y ponedlo en una pared de la clase.

En la clase de español	
Se puede...	No se puede...
... hablar español	... fumar

8 En grupos de cuatro. Piensa en un lugar público y en lo que se puede y no se puede hacer allí. Tus compañeros te van a hacer preguntas para descubrir qué sitio es. Tú sólo puedes contestar «sí» o «no».

    ○ ¿Se puede fumar?
    ○ No.

9 Escucha y lee.

    ○ ¿Me das tu dirección?
    ○ Avenida de...
    ○ ¿Tienes un bolígrafo?
    ○ No. Lo siento. ¡Ah!, mira, ese chico tiene uno.
    ○ Oye, perdona, ¿me dejas el bolígrafo un momento?
    ○ Sí, toma.
    ○ Gracias.

10 **a)** ¿Qué dices para pedir estas cosas? Escríbelo en la columna correspondiente.

- un cigarro   • 50 euros   • un vaso de agua   • una aspirina
  - tu cazadora de cuero   • el periódico   • un chicle   • un poco de sal
- tu cámara   • el último disco de Gabinete Caligari   • fuego

¿Me das...?	¿Me dejas...?
un cigarro	50 euros

b) En parejas. Piensa qué cuatro cosas quieres pedirle a tu compañero y pídeselas. Si él te pide algo, decide si se lo das o se lo dejas; en caso negativo, dile por qué.

○ ¿Me das un cigarro?
○ Sí, toma. / ○ Es que no me quedan. Lo siento.

11 Ahora vosotros.

A

Es lunes. Esta mañana te has levantado tarde, has salido de casa corriendo y te has olvidado algunas de las cosas que traes normalmente a clase. Haz una lista de cinco cosas que no has traído.

No he traído mis libros

B

Durante la mañana necesitas algunas de esas cosas. Pídeselas a tus compañeros. Si alguno de ellos te pide algo, dáselo o déjaselo; en caso negativo, no olvides decirle por qué.

¿Me dejas tu libro?

¿Lo tienes claro?

12 **a]** Lee estas frases.

¿Puedo irme diez minutos antes? Es que tengo que...

¿«Parecido» y «similar» significan lo mismo?

No escribáis ahora, ya lo escribiréis después. Ahora escuchad.

¿Qué tenemos que hacer para mañana?

Ahora vamos a escuchar una cinta.

¿Se puede decir «tengo ganas de tomar algo»?

¿Podemos copiarlo ahora?

Para mañana vais a hacer una redacción sobre...

¿Ya está?

No me acuerdo.

¿Qué significa «estar harto»?

b] En parejas. Decidid quién las dice normalmente en clase [¿el alumno, el profesor o ambos?] y en qué momento de la clase. Luego, comentadlas con vuestros compañeros.

c] Piensa en otras frases que dice tu profesor a menudo y díselas a la clase.

d] Comenta con tus compañeros las frases que dices frecuentemente en clase y fuera de clase. Explícaselas si no saben lo que significan.

EL MUSEO DEL ORO

1 **a]** Lee este texto sobre el Museo del Oro de Bogotá.
Puedes usar el diccionario.

El Museo del Oro del Banco de la República fue creado en 1939 en Bogotá para evitar la destrucción o la salida al extranjero de los objetos prehispánicos que permanecían en Colombia sin ser valorados en su justa medida. Esas piezas tenían un gran interés arqueológico que no era apreciado por la gente.

El oro tenía un sentido religioso para los indígenas. La elaboración de objetos con este material comenzó en esa zona hace más de 2.000 años y una buena parte de ellos eran utilizados para el adorno personal. Las obras del museo evidencian el alto nivel artístico de sus autores.

En 1946, el museo inició la colección de piezas de cerámica precolombinas. En la década de los sesenta logró un gran prestigio artístico y cultural, y ya era el primero de su género en el mundo. Actualmente tiene más de 34.000 obras de orfebrería, 13.000 de cerámica y varios miles de piezas de otros materiales representativas de antiguas culturas prehispánicas. Además, realiza un activo programa de exposiciones nacionales e internacionales que difunden la diversidad y la riqueza cultural de Colombia.

b] Escribe algunas preguntas sobre el texto y formúlaselas a tu compañero.

ríca Latina

c] ¿Qué informaciones te parecen
más interesantes?
Coméntalas con tus compañeros.

d] ¿Conoces tú algún museo de otro
tipo de objetos? En caso afirmativo,
descríbeselo a la clase.

RECUERDA

C OMUNICACIÓN

Pedir permiso y concederlo o denegarlo
- Informal: ☐ *¡Qué calor tengo! ¿Puedo abrir la ventana?*
  ○ *Sí, claro. Ábrela, ábrela.*
- Formal: ○ *Sí, claro. Ábrala, ábrala. / (Lo siento, pero)*
  Es que yo tengo frío.

Pedir un favor y responder afirmativa o negativamente
☐ *¿Puede/s traerme el diccionario, por favor?*
○ *Sí, claro. / (Lo siento, pero) Es que no sé dónde está. /*
(Perdone/a, pero) Es que ahora no puedo.

Preguntar si está permitido hacer algo en un sitio
¿Se puede fumar aquí?

Pedir cosas y responder afirmativa o negativamente

• Informal:	• Formal:
☐ *¿Me das fuego?*	☐ *¿Me da fuego?*
○ *Sí, toma.*	○ *Sí, tome.*
○ *(Es que) No fumo.*	○ *(Es que) No tengo.*
○ *Lo siento.*	○ *Lo siento.*

**Pedir cosas prestadas y responder afirmativa o
negativamente**

• Informal:	• Formal:
☐ *¿Me dejas tu libro?*	☐ *¿Me deja su libro?*
○ *Sí, toma. / Sí, cógelo.*	○ *Sí, tome. / Sí, cójalo.*
○ *Es que lo necesito.*	
Lo siento.	

G RAMÁTICA

Imperativo afirmativo
(Ver resumen gramatical, apartado 3.5)

Imperativo afirmativo + pronombres de objeto directo
Ciérrala.
(Ver resumen gramatical, apartado 3.5 y 4)

1 a) Escribe el contrario de cada una de estas palabras.

cómodo   ancho   nacer   ponerse

llevar   llegar   corto

casarse   mejor   pedir

b) Ahora escribe una frase con las que te parezcan más difíciles.

c) Intercámbialas con un compañero y corrige las suyas.

2 a) Piensa en los tiempos verbales que has estudiado en las lecciones 6-10 y anota las formas verbales con las que tengas más dificultades.

b) En parejas. Díselas, por turnos, a tu compañero para que haga una frase o un minidiálogo con cada una de ellas. Si lo hace correctamente, obtiene un punto. Gana el que consiga más puntos.

3 a) Piensa en alguna excursión que hiciste y te gustó mucho (si no te acuerdas de ninguna, imagínate una). Luego rellena la ficha.

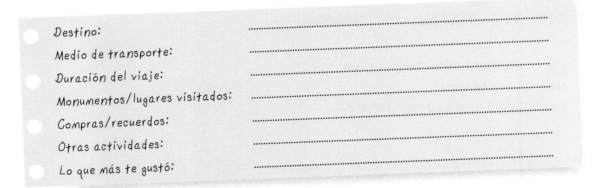

Destino: ....
Medio de transporte: ....
Duración del viaje: ....
Monumentos/lugares visitados: ....
Compras/recuerdos: ....
Otras actividades: ....
Lo que más te gustó: ....

b) En grupos de tres. Hazles preguntas a tus compañeros sobre sus excursiones para decidir cuál de ellas te gustaría hacer.

4 **a)** Observa la imagen y escribe frases con informaciones verdaderas o falsas sobre lo que están haciendo esas personas.

El niño rubio está...

b) Díselas a tu compañero para que confirme si son verdaderas o falsas.

c) Imagínate que eres una de las personas de la imagen, pero no le digas quién a tu compañero; él debe adivinarlo.

- *¿Estás leyendo el periódico?*
- *No.*
- *¿Estás...?*

5 **a)** Escucha este concurso de radio y escribe las cuatro preguntas que hay que acertar.

b) Escucha de nuevo y escribe las respuestas de la concursante.

6 **a)** En parejas. Escribid una biografía de vuestro profesor con la información que tengáis de él. Podéis añadir otros datos que creáis que son verdad.

b) Dádsela al profesor para que os diga qué cosas de las que habéis escrito son verdaderas y cuáles son falsas. Aprovechad para preguntarle todo lo que queráis saber sobre su vida.

c) Reconstruid entre todos su biografía.

7 BLA, BLA, BLA...

En grupos de cuatro. Juega con un dado y una ficha de color diferente a la de tus compañeros.

14 TIRA DOS VECES

15 Dos cosas que todavía no has hecho hoy.

16 Un lugar ideal para pasar las vacaciones.

13 Tu comida preferida.

17 Explica una palabra difícil a tus compañeros.

12 Tus planes para el próximo fin de semana.

18 Un regalo que te gustó mucho.

SALIDA

1 Una profesión que no te gusta.

11 Lo que piensas del dinero.

19 ¿Qué acabas de hacer?

2 Cuatro cosas que has hecho hoy.

10 Un juego que te gusta.

20 Algo que no se puede hacer en clase.

3 Una palabra en español que te gusta mucho.

9 Cinco cosas que hiciste anteayer

21 DOS TURNOS SIN JUGAR

4 TIRA OTRA VEZ

8 Pide una cosa a un compañero.

22 Cinco palabras que empiezan por "c".

5 Algo que hiciste el año pasado.

6 Una de las últimas palabras que has aprendido.

7 UN TURNO SIN JUGAR

23 Un concierto que te gustó mucho.

24 Un país que no conoces y que t gustaría visitar ¿Por qué?

INSTRUCCIONES.

1. Por turnos. Tira el dado y avanza el número de casillas que indique.

2. Habla del tema de la casilla en la que caigas. Puedes decir todo lo que quieras.

| 32 Pide un favor a un compañero. | 33 La ropa que te gusta. | 34 Una palabra difícil de recordar. | | 50 Un libro que te gustó mucho. | 51 Tu opinión sobre este juego. | 52 Una palabra en español que no te gusta nada. |

32 Pide un favor a un compañero.

33 La ropa que te gusta.

34 Una palabra difícil de recordar.

31 Una ciudad donde no te gustaría vivir.

35 DOS TURNOS SIN JUGAR

30 Dos palabras que terminan en "N".

36 ¿Qué prefieres: el campo o la ciudad?

29 Algo que hay que hacer en clase.

37 Algo que tienes que hacer y no te gusta.

28 TIRA OTRA VEZ

38 Tus mejores vacaciones.

27 Una fecha importante para ti.

39 Un famoso de tu país.

26 El último fin de semana.

40 Tu opinión sobre la lengua española.

25 Di los meses del año.

41 Deletrea una palabra muy larga.

42 TIRA OTRA VEZ

43 Una película que te gustó mucho.

44 Tus planes para el próximo verano.

45 El mejor día de tu vida.

46 Seis cosas que puedes comprar en un supermercado.

47 Pide una cosa prestada a un compañero.

48 Una palabra difícil de pronunciar.

49 UN TURNO SIN JUGAR

50 Un libro que te gustó mucho.

51 Tu opinión sobre este juego.

52 Una palabra en español que no te gusta nada.

53 ¿Crees que has aprendido mucho español en este curso?

54 El profesor ideal.

55 Tu último viaje.

LLEGADA

3. Si no dices nada, retrocede a la casilla donde estabas antes de tirar.

4. ¡Atención a las casillas verdes y rojas!

Preparación de la tarea

A) En grupos de cuatro. Lee la biografía de este personaje famoso y averigua con tus compañeros el significado de las palabras que no conozcas.

Nació en Londres en 1889. Hijo de actores de *music-hall*, su padre murió totalmente alcoholizado en 1894. Este mismo año actuó por primera vez en el teatro. Como su familia era muy pobre, su hermano y él tenían que actuar a menudo en la calle para ganar algo de dinero. Después, cuando su madre se volvió loca y fue internada en un manicomio, entraron en un orfanato.

En 1910 empezó a trabajar en una compañía de niños bailarines. Más tarde entró en la compañía donde trabajaba su hermano, con la que fue a Estados Unidos. En 1913 trabajó por primera vez en el cine: tuvo que sustituir a un actor. A partir de ese momento colaboró con varias productoras americanas e intervino en muchas películas como actor y director. Hizo muchas veces el mismo papel. En la primera ceremonia de los Óscar (1928) ganó su premio especial por sus muchas y variadas cualidades. Cuarenta y cuatro años más tarde obtuvo otro Óscar. Se casó cuatro veces y murió en 1977 en un país europeo.

B) Decide con ellos a qué famoso corresponde la biografía; si no lo sabéis, pedidle alguna pista al prof

C) Comenta con la clase las informaciones que más te sorprendan.

Una biografía

En marcha

EN PAREJAS

1 Escribid en casa la biografía de un famoso al que puedan conocer tus compañeros, pero no menciones su nombre. Podéis consultar enciclopedias, el diccionario, etcétera. Elegid algunas fotografías que sirvan de pista al resto de la clase.

2 Entregádsela al profesor, que se la dará a otra pareja para que adivine quién es el personaje. Si lo necesitan, dadles alguna pista.

3 Poned en el centro de la clase las fotografías con los textos y reconstruid entre todos las biografías.

De viaje

OBJETIVOS

- Expresar preferencias
- Hacer comparaciones
- Pedir y dar información sobre los medios de transporte
- Hablar del tiempo atmosférico

---

1 Observa este billete con atención. Luego lee las frases y marca la columna correspondiente.

	SÍ	NO	NO SE SABE
1. Es un billete de ida y vuelta.			
2. Es para el día 17 de diciembre de 2001.			
3. Es un billete de Iberia.			
4. Este billete cuesta 53,20 euros.			
5. El vuelo 758 de Iberia sale de Madrid a las 7.40.			
6. El viaje de Madrid a Zaragoza dura una hora.			
7. Es un billete sin reserva.			

---

2 a) ¿Qué es para ti lo más importante cuando viajas? Escribe estas palabras por orden de importancia:

- la rapidez
- la seguridad
- la comodidad
- el clima
- el precio
- la puntualidad

¿Puedes añadir alguna más?

b] En parejas. Escribid un adjetivo relacionado con cada una de esas palabras y su contrario. Podéis consultar el diccionario.

rapidez → rápido/a ≠ lento/a

c] ¿Con qué transportes asocias cada uno de esos adjetivos?

rápido → avión

PRONUNCIACIÓN

La sílaba fuerte

3 a] Escucha estas palabras y marca la sílaba más fuerte.

■ □ □	□ ■ □	■ □	□ ■
rá pi do	ba ra to	len to	pun tual

b] Escucha y comprueba   **c]** Escucha y repite

4 Comenta con tu compañero qué medio de transporte prefieres en cada caso y por qué. Luego pregúntale a él.

○ Yo prefiero el tren porque es más cómodo que el autobús. ¿Y tú?
  ○ Yo también prefiero el tren por lo mismo.
  ○ Yo también prefiero el tren porque es más seguro.
  ○ Pues yo prefiero el autobús porque es más rápido que el tren.
  ○ Pues a mí me da igual.

1. Para ir a otra ciudad, ¿prefieres el tren o el autobús?

2. Para ir a un país cercano, ¿prefieres el tren o el avión?

3. Para distancias cortas en el campo, ¿prefieres el coche o la bicicleta?

4. Para ir a otro continente, ¿prefieres el avión o el barco?

5. Para moverte por la ciudad, ¿prefieres el metro o el autobús?

5 Escucha y lee. Luego responde a estas preguntas.

- ¿Adónde va la chica?
- ¿En qué medio de transporte?
- ¿Qué le ha pasado?

- Buenas. Un billete para el Talgo de Bilbao.
- Acaba de salir.
- ¿Que acaba de salir?
- Sí, ha salido hace cinco minutos.
- ¿Y qué otros trenes hay?
- Hay uno a las 21.20 y otro a las 23.40.
- ¿A qué hora llega el de las 21.20?
- A las 6.35.
- ¿Lleva literas?
- Sí.
- Pues deme un billete con litera.

6 **a)** Observa este horario de autobuses y responde a las preguntas.

1. ¿Cuántos autobuses hay para León?
2. ¿A qué hora llega el último a León?
3. ¿Cuántos salen de Madrid por la mañana?
4. ¿Cuánto dura el viaje de Valladolid a Palencia?
5. ¿Para algún autobús en Astorga?
6. ¿A qué hora sale el primero que va a Valladolid por autopista?

EMPRESA
FERNÁNDEZ-RES, S.A.
LEÓN

HORARIOS de los Servicios de: LEÓN, VALLADOLID, ASTORGA y PALENCIA con MADRID

—— DOMINGOS Y FESTIVOS ——

SALIDAS DE MADRID	Madrid	Valladolid	Astorga	Palencia	León
	9,00	11,30 *	—,—	12,30	
	10,00 (4)	—,—	—,—	—,—	
	10,00	12,30 *	—,—	—,—	14,00
	10,30 (3)	13,00	—,—	—,—	14,30
	15,00 (3)	17,30	—,—	—,—	—,—
	16,00 (4)	—,—	—,—	—,—	—,—
	16,00	18,30 *	—,—	—,—	20,00
	19,00	21,30 *	—,—	19,30	—,—
	20,00	22,30 *	—,—	—,—	23,30
	21,00 (3)	23,30 *	—,—	23,30	—,—
	23,00	1,30 *	—,—	—,—	—,—
	24,00	2,30 *	—,—	2,30	4,30

(*) No se despachan billetes con antelación
(3) Directo por Autopista
(4) Servicio Preferente

b) ¿Tenéis buena memoria? En parejas. Uno de los dos cierra el libro y el otro le hace preguntas sobre la información del horario.

7 Escucha esta conversación y completa el cuadro.

¿Adónde quiere ir?	
¿A qué hora llega el tren de las 10.20?	
¿Y el de las 11.10?	
¿Para qué tren es el billete que compra?	

8 Ahora vosotros. En parejas.

Alumno A

Son las 2.45 y estás en la estación de Córdoba. Quieres comprar un billete para llegar a Málaga antes de las 8.30.

Alumno B

Eres un empleado de Renfe y trabajas en la estación de Córdoba. Atiende al alumno A y consulta este horario si lo necesitas. Luego véndele un billete si te lo pide.

Córdoba		7.50	16.15	19.08	4.01	5.10	3.01
Montilla			16.53		4.43		3.43
Aguilar de la Frontera			17.00		4.53		
Puente Genil		8.44	17.16	19.53	5.16	6.06	4.04
Casariche			17.26				
La Roda de Andalucía			17.35		5.41		
Bobadilla	○	9.17	17.50	20.21	6.05	6.41	4.35
Bobadilla							4.53
Ronda							6.17
San Roque-La Línea							8.04
Algeciras	○						8.25
Bobadilla		9.21	17.51	20.22	6.10	6.46	■
Alora		9.53	18.28		6.51		
Málaga	○	10.30	19.00	21.20	7.40	8.00	

④ Costa del Sol.
⑤ Estrella del Estrecho.

9 Lee las palabras y expresiones de la lista y relacionalas con las fotos. Puedes usar el diccionario.

1

hace calor
hace frío
hace sol
hace viento
hace buen tiempo
hace mal tiempo
llueve
nieva
está nublado
hay niebla

2

4

3

10 **a)** Observa los nombres de las cuatro estaciones.

La primavera   El verano   El otoño   El invierno

b) ¿En qué estación o estaciones del año te hacen pensar las fotos de la actividad 9? Díselo a tus compañeros.

○ *A mí, el dibujo número 1 me hace pensar en...*
  ○ *A mí también...*
  ○ *A mí, en...*

FÍJATE EN LA GRAMÁTICA

Hace

Hace (muy)	buen mal	tiempo.

Llueve Nieva	(mucho). (bastante). (poco).

Hace	(mucho) (bastante)	calor. frío. sol. viento.

¿Lo tienes claro?

11 **a)** Piensa en una ciudad que tiene un clima que te gusta.

b) En grupos de tres.

Describe el clima a tus compañeros y dales también alguna información sobre esa ciudad (país, situación, habitantes, por qué es famosa...). ¿Saben cuál es?

En primavera hace...
En otoño...

12 Un amigo extranjero que has conocido en otro país va a venir a tu casa a pasar una semana contigo. Escríbele e infórmale del clima de tu pueblo (o tu ciudad), y dile qué ropa puede traer.

TRIANA

1 Escucha los sonidos del comienzo de esta canción. ¿Qué te sugieren? Piensa en:

- un lugar
- una hora
- el tiempo que hace
- una estación del año
- un mes

Escríbelo y luego díselo a tus compañeros.

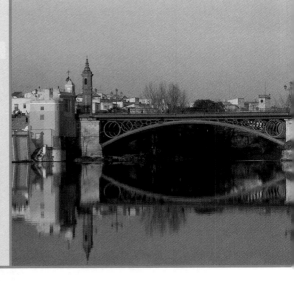

2 Ahora escucha toda la canción y lee.

Todo es de color
todo es de color
todo es de color
todo es de color
¡Qué bonita es la primavera!
¡Qué bonita es la primavera cuando llega!
El clavel que tienes en tu ventana
me hace recordar al barrio de Triana.

TRIANA: *Todo es de color*

3 Señala la respuesta que creas adecuada.

A. Un clavel es...
  - ○ un animal
  - ○ una flor

B. El barrio de Triana está en...
  - ○ Barcelona
  - ○ Sevilla

...ica Latina

COMUNICACIÓN

Expresar preferencias y hacer comparaciones
- ☐ ¿Qué prefieres: el tren o el autobús?
- ○ *(Prefiero) El tren, porque es más cómodo.*

Pedir y dar información sobre medios de transporte
- ☐ ¿(Me puede decir) Qué trenes hay para Málaga?
- ○ *Hay uno dentro de un cuarto de hora y otro a las 23.10 h.*
- ☐ ¿Lleva literas?
- ○ *Sí.*

Hablar del tiempo atmosférico
- ☐ ¿Qué tiempo hace en Zaragoza en verano?
- ○ *Hace mucho calor y llueve muy poco.*

GRAMÁTICA

Presente de indicativo. Verbos irregulares:
- llover: *llueve*
- nevar: *nieva*

Adverbios de cantidad
muy, mucho, bastante, poco
(Ver resumen gramatical, apartado 9)

Muy - mucho
- Muy + adjetivo
  Hace muy buen tiempo.
- Muy + adverbio
  Muy bien.
- Mucho/a/os/as + sustantivo
  Aquí hace mucho frío.
- Verbo + mucho
  En Galicia llueve mucho.
  (Ver resumen gramatical, apartado 10).

4 Comenta con tus compañeros:

¿Cuáles es la estación y el mes del año que más te gusta? ¿Por qué?
¿Y los que menos? ¿Por qué?

¿Qué tal el fin de semana?

1 **a]** Averigua el significado de las palabras que no entiendas.

- fiesta
- excursión
- obra de teatro
- inauguración
- reunión de trabajo
- conferencia
- entrevista
- exposición
- concierto
- vídeo de un partido (de fútbol)
- navegar por Internet
- película
- siesta

b] ¿Cuáles asocias con el fin de semana?

c] ¿Hay alguna otra cosa que haces los fines de semana y no sabes cómo se dice en español?

 PRONUNCIACIÓN

La sílaba fuerte

2 **a]** Escucha estas palabras y escríbelas en la columna correspondiente.

☐ ■ ☐ ☐	☐ ☐ ■ ☐	☐ ☐ ■	■ ☐
pe lí cu la	en tre vis ta	na ve gar	fút bol

b] Escucha y comprueba.

 c] Escucha y repite.

3 **a]** **Lee el diálogo. ¿Lo entiendes?**

[Señora:] ◉ ¿Y qué tal el fin de semana?

[Chica:] ◉ Genial. El sábado por la noche estuve en una fiesta de cumpleaños y me lo
pasé estupendamente. Fue una fiesta divertidísima, y me divertí y me reí muchísimo.

[Chico:] ◉ ¡Qué bien! Pues yo pasé el fin de semana en la sierra con mi familia y no hice
nada especial: di varios paseos, leí bastante... ¡ah!, y dormí y descansé mucho.

[Señora:] ◉ Yo el sábado por la noche me quedé en casa viendo la televisión, pero el domingo
fui a un concierto de música clásica que estuvo muy bien y me gustó mucho.

b] **¿Verdadero o falso? Márcalo.**

	V	F
La chica estuvo en una fiesta muy divertida. Se lo pasó muy bien.	☐	☐
El chico tuvo un fin de semana tranquilo. Se divirtió mucho con su familia.	☐	☐
La señora leyó bastante el sábado por la noche. Durmió poco el sábado por la noche.	☐	☐

c] **Sustituye las frases falsas por otras verdaderas.**

d] **En grupos de tres. Practicad el diálogo de a].**

4 **a)** Lee de nuevo las frases de 3 b) y di cuáles de los verbos incluidos en ellas son irregulares solo en la tercera persona. ¿Puedes explicar por qué?

b) Todos estos verbos son también irregulares en la tercera persona del pretérito indefinido. Piensa en la irregularidad de cada uno y anótalo en la columna. correspondiente.

sentir	oír	pedir	morir	repetir	creer
seguir	construir	servir	preferir	elegir	

e → i	y	o → u
sentir		

FÍJATE EN LA
GRAMÁTICA

Pretérito indefinido

REÍRSE

me reí
te reíste
se rió
nos reímos
os reísteis
se rieron

5 **a)** Completa este cartón de bingo con formas irregulares de pretérito indefinido de los verbos que han aparecido en esta lección.

b) Vas a escuchar el infinitivo de los verbos tratados en la lección. Marca las formas (escritas en a) que correspondan a los verbos que oigas. Si completas el cartón, di «¡Bingo!»

c) Si has cantado bingo, di en voz alta las formas que has marcado y los infinitivos correspondientes.

6 **a)** ¿Conoces otros verbos irregulares en pretérito indefinido? Escríbelos.

poder - pude

b) Compáralos con los de tus compañeros y anota los que no conocías (o no recordabas) y te parezcan útiles.

7 **a)** Piensa qué hiciste el pasado domingo por la tarde.

"Quedé con unos amigos y fui al cine con ellos".

b) En grupos de cinco. Averigua qué hicieron tus compañeros.

c) Comentad al resto de compañeros cuáles fueron las actividades más realizadas en vuestro grupo, tomad nota de lo que os digan ellos y decidid cuáles fueron las actividades más realizadas por la clase.

"Dos personas de nuestro grupo quedaron con amigos y fueron al cine".
"Las actividades más realizadas el pasado domingo por la tarde fueron: (quedar con amigos)...".

8 **a)** Lee el diálogo. ¿La valoración que hace el chico es positiva o negativa?

[Chica:] ● ¿Qué tal la conferencia del viernes?

[Chico:] ● Horrible. Fue una conferencia pesadísima y muy aburrida. Un rollo.

[Chica:] ● ¡Vaya! ¡Qué mala suerte!

b) ¿Cuáles de estos adjetivos utilizados para valorar tienen sentido negativo? Decídelo con tu compañero.

- interesante
- horroroso
- bueno
- malo
- estupendo
- pesado
- divertido
- aburrido

c) ¿Te has fijado en cómo se expresa "muy pesada" en el diálogo? ¿Cómo se ha formado esa palabra?

d) Ahora escribe tú la forma superlativa de estos adjetivos:

interesante - *interesantísimo*   malo

bueno   aburrido

divertido

9 **a)** Completa las frases con estos verbos en el tiempo y la persona apropiados.

ser

estar

gustar

aburrirse

pasárselo

encantar

1. El viernes estuve en un concierto malísimo; no me .... nada.
2. La conferencia del otro día .... buenísima.
3. El sábado vi un partido de fútbol que .... muy bien.
4. Anoche estuve en una fiesta y me lo .... estupendamente.
5. Ayer cené con una gente muy seria y me .... mucho. Fue un rollo.
6. El otro día vi una película que me ....; me pareció interesantísima.

b) ¿Te identificas con alguna de esas informaciones? Díselo a tu compañero.

"Yo también (vi el otro día una película que)...".

10 **a)** Escribe otras frases expresando y valorando actividades o hechos que realizaste la semana pasada.

b) Compáralas con las de tu compañero. ¿Hay alguna coincidencia? En caso afirmativo, decídselo a la clase.

¿Lo tienes claro?

11 a) Escucha estos diálogos y completa la columna "¿Qué hizo?".

		¿CUÁNDO?	¿QUÉ HIZO?	¿QUÉ TAL?
1	Ella			
	Él			
2	Ella			
	Él			

b) Escucha de nuevo y completa las otras columnas.

12 a) Averigua qué hizo tu compañero el sábado por la tarde y por la noche, y qué tal se lo pasó.

- ¿Qué hiciste el sábado por la tarde?
- ...

b) En grupos de cuatro. Cuéntaselo a tus compañeros y decidid entre todos quién pasó la mejor tarde y la mejor noche del sábado.

EL MURALISIMO MEXICANO

1 **a)** Asegúrate de que conoces el significado de la palabra 'mural'.

b) ¿Sabes algo del muralismo mexicano? ¿Has visto algunas obras de ese movimiento artístico? ¿Cómo son?

c) Lee el texto y comprueba. Puedes usar el diccionario.

El muralismo mexicano fue un movimiento artístico nacido en México hacia el año 1920, cuando muchos artistas del país decidieron dar su apoyo a la Revolución mexicana de 1910 pintando grandes murales para edificios públicos. Tenía un contenido básicamente ideológico y fue un intento de mostrar al pueblo su propia historia, exaltando su pasado prehispánico con el fin de ayudarle en sus luchas de aquella época.

Entre otros nombres, destacaron los de Clemente Orozco, Diego Rivera y David Alfaro Siqueiros. Su trabajo favoreció la posterior aparición en México de una serie de artistas muy interesados en integrar el arte en la arquitectura y en la vida urbana.

Los muralistas utilizaron siempre un estilo realista, a menudo expresionista, y tenían un gran interés por los avances sociales y tecnológicos.

ica Latina

COMUNICACIÓN

Hablar del pasado: expresar lo que hicimos el fin de semana pasado
- □ ¿Qué hiciste el sábado por la noche?
- ○ *Quedé con unos amigos y fuimos a bailar.*

GRAMÁTICA

Pretérito indefinido
- **Verbos irregulares en las terceras personas (con alternancia e – i)**
  Divertirse: me divertí; te divertiste; se divirtió; nos divertimos; os divertisteis; se divirtieron
- **Otros verbos con alternancia e – i**
  - *sentir* • *pedir* • *repetir* • *seguir,*
  - *servir* • *preferir* • *elegir.*

  (Ver resumen gramatical, apartado 3.2.2.3)
- **Verbos con alternancia o – u**
  Dormir: dormí; dormiste; durmió; dormimos; dormisteis; durmieron.
  Otro verbo con esa irregularidad: *morir.*

  (Ver resumen gramatical, apartado 3.2.2.2)
- **Verbos con y**
  Leer: leí; leíste; leyó; leímos; leísteis; leyeron.
  Otros verbos con esta irregularidad: *oír, creer, construir.*

  (Ver resumen gramatical, apartado 3.2.2.4.)

  Reírse: me reí; te reíste; se rió; nos reímos;
  os reísteis; se rieron.

  Dar: di; diste; dio; dimos; disteis; dieron

COMUNICACIÓN

Valorar actividades y hechos pasados
- □ *¿Qué tal estuvo la fiesta anoche?*
- ○ *¡Ah! Muy bien. Fue una fiesta divertidísima, y me divertí y me reí mucho.*
- □ *¡Qué bien!*

GRAMÁTICA

- **Ser + bueno / malo**
- **Estar + bien / mal**

  (Ver resumen gramatical, apartado 6)

Superlativo absoluto
  aburrido – *aburridísimo*
  interesante – *interesantísimo/a*

  (Ver resumen gramatical, apartado 19.1)

13

Recuerdos de la infancia

O B J E T I V O S

• Describir personas, lugares y cosas en el pasado

• Hablar de acciones habituales en el pasado

1 a) ¿Sabes algo sobre los incas?
¿Con qué parte del mundo los relacionas?
¿Y con qué época?

b) Lee el texto y comprueba.

LOS INCAS

Hacia el año 1100 d.C., los incas de habla quechua llegaron a los Andes desde el Sur (lago Titicaca) y fundaron su capital, la ciudad de Cuzco. Posteriormente comenzaron a explorar y conquistar nuevas tierras, y crearon el imperio más organizado de América Latina, que perduró hasta aproximadamente el año 1530. Los incas construyeron grandes ciudades y gobernaron un extenso territorio, el equivalente a los actuales Perú, Ecuador, el oeste de Bolivia, el norte de Chile y el noroeste de Argentina.

FUENTE: *Exploradores y aventureros en América Latina*, **Ediciones SM.**

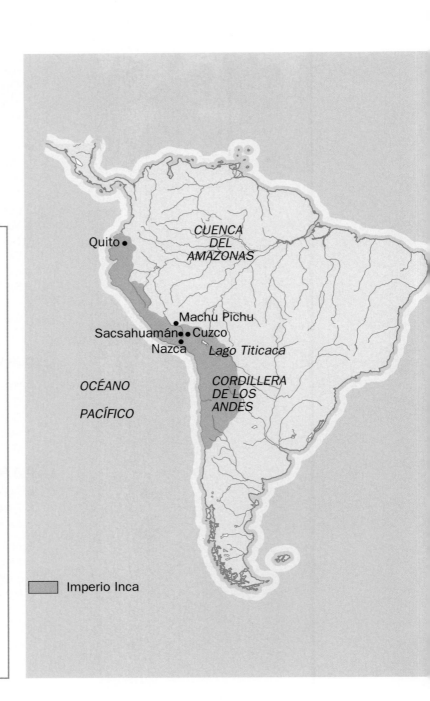

Quito

CUENCA DEL AMAZONAS

Machu Pichu

Sacsahuamán • Cuzco

Nazca

Lago Titicaca

OCÉANO

PACÍFICO

CORDILLERA DE LOS ANDES

Imperio Inca

2 **a)** Averigua qué significan las palabras que no entiendas.

- cultivar
- llama (animal)
- piedra
- maíz

- criar
- transportar
- noble
- paja

- sabio
- tejado
- licor

b) Subraya las palabras anteriores que sirvan para expresar cosas o para expresar acciones.

c) Ahora lee este texto sobre la vida de los incas.

Los incas trabajaban en el campo. Cultivaban, sobre todo, maíz y patatas (o papas). La llama era uno de los animales que criaban; la utilizaban para transportar cosas pesadas, con su lana hacían ropa y en las grandes ocasiones comían su carne.

La alimentación variaba de unas zonas a otras: en las regiones montañosas, la patata era el alimento principal; en las tierras más bajas, se tomaba mucho maíz. La bebida nacional era la chicha, un licor que las mujeres hacían con maíz.

Vivían en sencillas casas que tenían las paredes de piedra, el tejado de paja y una sola habitación. No había ni mesas ni sillas, y la familia dormía en el suelo, excepto los niños durante su primer año de vida.

Los niños del pueblo no iban a la escuela; aprendían junto a sus padres lo que necesitaban: los varones ayudaban al padre en las tareas del campo; las niñas, a la madre en la casa y en el campo. En cambio, los hijos de los nobles eran educados durante cuatro años por los sabios.

3 **a)** ¿Has observado que en el texto se emplea nuevo tiempo de pasado, el pretérito imperfecto? Fíjate e intenta completar este esquema.

FÍJATE EN LA GRAMÁTICA

Pretérito imperfecto

Verbos regulares

-ar	-er	-ir
trabajaba	tenía	vivía
trabajabas	tenías	vivías
trabajaba	tenía	vivía
trabajábamos	teníamos	vivíamos
trabajabais	teníais	vivíais
....	....	....

Verbos irregulares

ser	ir	ver
era	iba	veía
eras	ibas	veías
....	iba	veía
éramos	íbamos	veíamos
erais	ibais	veíais
....	....	veían

b) Ahora comprueba con el texto.

PRONUNCIACIÓN

La sílaba fuerte

4 **a]** Escucha e identifica la sílaba fuerte.   **b]** Escucha y repite.

5 **a]** Escribe seis preguntas sobre la vida de los incas.

¿Qué comían los incas?

b] Házselas a tu compañero para que responda a ellas (sin consultar el texto).

6 **a]** He aquí una escena en el interior de una casa inca en el año 1500. Obsérvala con atención, descubre los errores y escribe frases sobre ellos.

(En aquella época) No había teléfonos y, claro, | *la gente no no se* | *hablaba por teléfono.*

b] Compara con tu compañero. ¿Quién ha descubierto más errores y ha escrito más frases correctas?

c] Escribe tres frases verdaderas o falsas sobre aquella época. Luego pásaselas a tu compañero. ¿Está de acuerdo contigo en que son verdaderas o falsas?

7 a) Estas palabras sirven para hablar de la infancia. Pregunta el significado de las que no conozcas y forma dos parejas de contrarios.

juguete	premio
castigar	asignatura
castigo	hacer travesuras
aprobar	suspender
travieso	notas

b) ¿Qué palabras de las anteriores te traen recuerdos agradables? ¿Y desagradables?

c) ¿Recuerdas cuál era tu juguete preferido? ¿Y uno de tus juegos favoritos? Averigua cómo se dicen en español.

8 a) Relaciona las dos mitades de cada frase.

1. Cuando tenía diez años, era un poco bajo(a) y tímido(a)...
2. Vivía en la misma casa...
3. Éramos tres hermanos...
4. Me gustaba mucho la música y tocaba la guitarra...
5. La asignatura que más me gustaba...
6. No era mal estudiante,...
7. Era bastante travieso y...

... era la Historia.
... me castigaban algunas veces.
... pero bastante guapo (a).
... y yo era el mayor.
... pero a veces suspendía alguna asignatura.
... que ahora.
... mi músico preferido era Carlos Santana.

b) ¿Con cuáles te identificas? Díselo a tu compañero.

9 a) Lee este cuestionario y anota tus respuestas.

¿Cómo era su vida a los diez años?

	USTED		
1. Aspecto y carácter.			
2. Lugar de residencia: ¿casa o piso?			
3. Su familia.			
4. Su mejor amigo.			
5. Juego o juguete preferido.			
6. Aficiones. Famoso admirado.			
7. Centro de estudios. Curso.			
8. Asignatura preferida.			
9. Asignatura más odiada.			
10. Notas. ¿Suspensos?			
11. Profesor preferido.			
12. ¿Travieso? ¿Castigos?			

b] En grupos de tres. Pregunta a tus compañeros y anota sus nombres y sus respuestas.

¿Cómo eras | cuando tenías a los | diez años?

c] ¿Con qué compañero coincides en más cosas? ¿Crees que habríais sido buenos amigos a los diez años? Coméntalo con él.

d] Decidle a la clase en qué coincidíais a esa edad.

10 a] Escucha esta conversación entre Rafa y Ana sobre su infancia. ¿Quién no menciona ningún recuerdo malo?

b] Escucha de nuevo la conversación y anota los recuerdos que oigas.

	RAFA	ANA
Recuerdos buenos		
Recuerdos malos		

11 a] Dos grupos (A y B). Imagina la infancia del profesor o la profesora y decide con los miembros de tu grupo qué cosas hacía o le gustaban.

b] Decídselas a él o ella para que confirme si las hacía o no. ¿Qué equipo tiene más aciertos?

- *Cuando eras pequeña, te castigaban mucho.*
- *No, era muy buena y no me castigaban.*

12 Habla de tu infancia con un compañero con el que no hayas trabajado en esta lección. Luego toma nota de lo que él te diga.

- *Cuando era niño...*

13 a] Utiliza esas notas para escribir en casa un texto sobre la infancia de ese compañero y añade dos informaciones sorprendentes que te inventes.

LA INFANCIA DE NICK

Cuando Nick era niño...

b] Entrégaselo al profesor en la próxima clase (él se lo dará a otro estudiante para que descubra las dos informaciones inventadas).

¿Lo tienes claro?

12 a) Piensa en tu experiencia como estudiante y hablante de español. Luego coméntale a la clase las cosas en las que has cambiado y mejorado.

■ Antes entendía muy poco cuando escuchaba español. Ahora entiendo más (porque sé qué tengo que hacer cuando escucho).

■ Antes me ponía nervioso cuando tenía que hablar en clase, pero ahora no.

b) ¿Han dicho tus compañeros algo interesante que pueda serte útil en el futuro? Anótalo y trata de ponerlo en práctica a partir de ahora.

LA SOCIEDAD INCA

1 **a)** Lee el artículo (puedes usar el diccionario). Luego complétalo con las frases siguientes.

A. La familia tenía una gran importancia para ellos

B. Las tareas de los hombres eran muy variadas

C. Por eso tenía un poder absoluto

D. Llegaron a tener una red de comunicaciones muy completa

E. Que la trabajaba de manera colectiva

Para mucha gente, el imperio Inca es uno de los más sorprendentes de la historia, y la organización de su sociedad es uno de los aspectos que más les llaman la atención.

Los incas consideraban que su emperador, el Inca, era hijo del Sol, su máximo dios; 1 .... sobre las personas, la tierra, los animales y los metales del imperio. 2 .... Cada persona era miembro de un *ayllu*, grupo formado por familias que descendían de un mismo individuo.

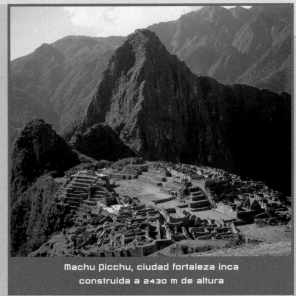

Machu Picchu, ciudad fortaleza inca construida a 2430 m de altura

Los incas tenían que cumplir la *mita*, que consistía en trabajar gratis para el Estado durante un período de tiempo determinado. 4 .... : cultivar los terrenos del Inca, participar en guerras con el ejército, construir obras públicas, etcétera. Las mujeres hacían una cantidad determinada de ropas para los funcionarios.

La economía tenía su base en la agricultura, y estaba controlada y dirigida por el Estado. La tierra era propiedad de este y se dividía en tres partes: una para el Inca, otra para el Sol y la tercera para el *ayllu*, 3 .... Con los productos obtenidos, el Estado hacía frente a sus gastos (ejército, obras públicas, etcétera) y proporcionaba todo lo necesario para vivir, razón por la que no existía el hambre. Además, los ancianos y enfermos recibían ayuda especial.

tica Latina

los incas construyeron unos 40.000 kilometros de caminos.

5 .... A lo largo de los años construyeron por todo el territorio muchos caminos que facilitaban el trabajo de los *chasquis*, mensajeros muy rápidos, especialmente preparados, que iban corriendo a los diferentes lugares del imperio para llevar las noticias y comunicar las leyes.

b] Lee de nuevo y selecciona las informaciones que más te llamen la atención.

c] Coméntalas con tus compañeros.

RECUERDA

COMUNICACIÓN

Describir personas, lugares y cosas en pasado
- *Cuando era pequeño era muy rubio y bastante alto.*
- *Mi casa era muy bonita y tenía un jardín.*

Hablar de acciones habituales en el pasado
- *De pequeño iba mucho al cine.*
- *A los diez años jugaba al fútbol en el equipo del colegio.*

GRAMÁTICA

Pretérito imperfecto
- Verbos regulares
  (ver resumen gramatical, apartado 3.4.1)
- Verbos irregulares
  - *ir* • *ser* • *ver*
  (ver resumen gramatical, apartado 3.4.2)

Preposiciones
- *A*
  A los diez años = cuando tenía diez años
- *De*
  De pequeño = cuando era pequeño.

14

Objetos y regalos

OBJETIVOS

- Describir objetos
- Expresar utilidad
- Expresar de qué está hecho un objeto
- Hablar de regalos: los regalos que recibimos y los que hacemos

1 **a]** **Lee estas palabras y busca en un diccionario cinco que no conozcas.**

- tijeras • toalla • cartera • jabón • encendedor • peine • percha
- mochila • papelera • lápiz • pañuelo
- espejo • cepillo de dientes • calculadora • pegamento • perfume

b] **Pregunta a tus compañeros qué significan las restantes.**

c] **Relaciona los nombres de los objetos anteriores con los objetos que aparecen en las fotos.**

 PRONUNCIACIÓN

2 **a]** **Pronuncia cada una de las palabras de 1 a].**

 b] **Escucha, comprueba y repite.**

3 a) Averigua el significado de los verbos que no conozcas. Presta atención a los reflexivos.

- peinarse
- mirarse
- lavarse los dientes
- limpiarse la nariz

- cortar
- tirar
- encender
- perfumarse

- escribir
- secarse
- llevar dinero y documentos
- llevar objetos personales

- pegar
- colgar
- calcular
- lavarse

b) Practica los que te resulten más difíciles de pronunciar.

c) Piensa en la utilidad de los objetos de 1 a) y relaciónalos con los verbos.

tijeras - cortar

4 Mira el dibujo y luego juega con tus compañeros.

5 a) Asegúrate de que entiendes estas palabras que sirven para describir objetos.

- plástico   • rectangular   • blando   • metal   • papel   • madera
- pesado   • redondo   • tela   • ligero   • cristal   • triangular

b) Escríbelas en la columna correspondiente.

FORMA	MATERIAL	OTRAS CARACTERÍSTICAS
cuadrado	piel	duro

6 Lee estas descripciones. ¿A qué objeto de 1 c) corresponde cada una de ellas?

1

Es estrecho, largo, duro y de color rojo. Es de madera y sirve para escribir, dibujar y pintar.

2

Es rectangular y de color negro. Es de piel y sirve para llevar dinero, tarjetas y documentos.

3

Es verde, blanco, estrecho, largo y ligero. Es de plástico y sirve para lavarse los dientes.

7 a] Elige dos objetos que utilizas mucho o que te gustan mucho, y piensa en su descripción.

OBJETO		
DESCRIPCIÓN		

b] Descríbeselos a tu compañero para que adivine cuáles son. Si tiene dificultades, puede hacerte preguntas a las que tú responderás «sí» o «no», o puedes darle alguna pista.

8 a] Escucha a estas tres personas jugando a las adivinanzas y escribe solo el nombre del objeto que adivinan en cada caso.

	OBJETO	¿DÓNDE ESTÁ?	¿CÓMO ES?	¿DE QUÉ ES?	¿PARA QUÉ SIRVE?
1.					
2.					
3.					

b] Escucha de nuevo y completa las columnas restantes.

9 En grupos de cuatro. Cada alumno piensa en un objeto personal o de la clase, y sus compañeros tratan de adivinarlo haciendo preguntas a las que él responde «sí» o «no».

- ○ ¿Es tuyo?
- ○ No, no es mío.
- ○ ¿Es de la clase?
- ○ Sí...
- ○ ...

10 a] Comenta con tus compañeros qué haces cuando quieres referirte a un objeto en español pero no sabes cómo se dice.

Puedes, etre otras cosas, descubrirlo. Puedes decir:

- ■ Cómo es (color, tamaño, forma, etcétera).
- ■ De qué es.
- ■ Para qué sirve.

También es posible emplear algunas frases útiles:

- ■ Es una cosa parecida a...
- ■ Es una especie de...
- ■ Es una cosa de (material)...

b] Piensa en un objeto que no sabes cómo se dice en español y descríbeselo a tus compañeros y al profesor para que te den la palabra española.

11 a) Lee lo que dicen estas personas.

EL MEJOR REGALO DE SU VIDA

«El mejor regalo que me han hecho en mi vida ha sido, sin duda, una guitarra. Me la regaló mi tío cuando tenía nueve años. Empecé a tocarla, a ir a clase de guitarra… y puedo decir que descubrí mi interés por la música gracias a ella».

«A mí mis padres me regalaron una bicicleta a los 11 años. Me la regalaron cuando acabé la Primaria; fue un premio. Recuerdo que era el regalo que más deseaba y, claro, me encantó. Luego la utilicé durante muchos años y todavía la tengo».

«Pues yo no podría decir ahora cuál ha sido el mejor regalo de mi vida. Sí recuerdo algunos que fueron muy importantes para mí: un balón que me regaló mi abuelo cuando era pequeño, una pluma que me regaló una amiga… En fin, todos tuvieron un significado especial para mí, no puedeo decir que uno fue mejor que otro».

b) ¿Te han hecho a ti alguna vez alguno de estos regalos? ¿Cuándo? Coméntaselo a tus compañeros.

- (A mí) Mis padres también me regalaron una bicicleta cuando era pequeño.

12 **a)** Piensa en el mejor regalo que te han hecho. Si no sabes cómo se dice en español, averígualo.

b) En grupos de cuatro. Habla con tus compañeros y comprueba si tu regalo coincide con el de alguno de ellos.

- ¿Cuál ha sido el mejor regalo que te han hecho?
- Unos patines.
- ¿Y quién te los regaló?
- (Me los regaló) Una tía mía.

13 **a)** ¿Sueles regalar alguna de estas cosas?

| libros | música | juegos de ordenador | ropa | perfume | flores |

objetos de decoración   cosas prácticas   joyas   juguetes

b) ¿Qué otras cosas sueles regalar? Díselas a tu compañero y toma nota de las que te diga él.

c) Averigua a quién se las regala y si coincidís cuando hacéis regalos.

- ¿A quién regalas juguetes?
- (Se los regalo) A mi sobrina pequeña.

FÍJATE EN LA GRAMÁTICA

Pronombres de OI + OD

Me	
Te	lo
~~Le~~ Se	los
Nos	la
Os	las
~~Les~~ Se	

- ¿Y la música?
- **Se la** regalo a mi mejor amigo.

¿Lo tienes claro?

14 **a)** Piensa en una celebración o un acontecimiento en el que te regalaron dos cosas como mínimo y en quién te las regaló.

b) Coméntalo con un compañero.

- *En mi último cumpleaños me regalaron un despertador, una...*
- *El despertador me lo regaló...*

c) Dile a otro compañero lo que te acaban de comentar y añade un regalo muy extraño. ¿Se imagina cuál es el regalo que te has inventado?

- *A Walter le regalaron en su último cumpleaños un despertador, una...*
- *El despertador se lo regalaron sus compañeros...*

MAITENA Y EL CÓMIC

1 a) Asegúrate de que entiendes estas frases.

- Los (hombres) que te dan la plata.
- Los que te regalan lo que ellos quieren que uses.
- Los que buscan sorprenderte.
- Los que, por no arriesgar, solo te regalan flores y perfumes.
- Los que le piden a otra persona que compre el regalo.

b) Lee este cómic de Maitena, autora argentina, y escribe una de esas frases encima de cada viñeta.

ica Latina

c] ¿Añadirías tú algún otro grupo en el que se puede incluir a algunos hombres cuando hacen regalos? Díselo a la clase.

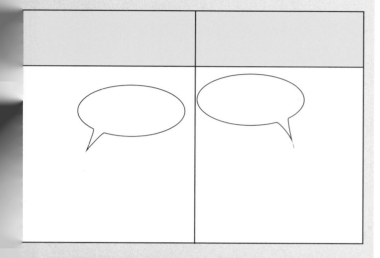

2 a] En grupos de tres. Pensad en la actitud de las mujeres cuando hacen regalos y escribid algunas frases describiendo diferentes grupos en los que pueden ser incluidas.

b] Comentádselo a la clase. ¿Están vuestros compañeros y compañeras de acuerdo?

3 Y tú, ¿qué tienes en cuenta para elegir un regalo? ¿Crees que puedes incluirte en alguno de los grupos vistos? Díselo a la clase.

COMUNICACIÓN

Describir objetos
- *Es bastante pequeño, rectangular y de color negro.*

Expresar utilidad
- *Sirve para llevar dinero y documentos.*

Expresar de qué está hecho un objeto
- *Es de piel.*

Hablar de regalos: los regalos recibidos y los regalos que hacemos
- *¿Cuál ha sido el mejor regalo que te han hecho?*
- ☐ *¿A quién le regalas ropa?*
- ○ *(Se la regalo) A mi hermana.*

GRAMÁTICA

Servir para + infinitivo
(Ver resumen gramatical, apartado 20)

Ser de + nombre de material
(Ver resumen gramatical, apartado 6.1)

Pronombres
- ■ **Pronombres de objeto indirecto** (OI)
(Ver resumen gramatical, apartado 4.2)
- ■ **Pronombres de** OI + OD

Me	
Te	lo
Se	los
Nos	la
Os	las
Se	

(Ver resumen gramatical, apartado 4.3)

El futuro

1 a) Piensa cómo será la vida en el siglo XXI y trata de responder a las preguntas.

1. ¿Viviremos más años?
2. ¿Tendrá curación el cáncer?
3. ¿Aumentará la población de la Tierra? ¿Habrá más pobres?
4. ¿Emigrará mucha gente?
5. ¿Trabajaremos más?
6. ¿Dependeremos del petróleo tanto como ahora?

7. ¿Podremos vivir en el espacio?
8. ¿Seguirán existiendo los colegios? ¿Estudiarán los niños solos en casa?
9. ¿Existirá un idioma en el que todos podamos comunicarnos?
10. ¿Habrá más contaminación? ¿Habrá tantas especies animales como ahora?

b) Lee estas opiniones de expertos españoles en diferentes materias y comprueba.

LA VIDA EN EL SIGLO XXI

«Nuestra vida será más larga. No seremos inmortales, pero llegaremos a vivir unos 120 años».

«El cáncer continuará existiendo, pero estaremos en condiciones de curarlo y nuestros nietos no morirán por su causa».

«Cada año habrá más gente en la Tierra: su población aumentará a un ritmo de 77 millones de personas por año y morirá mucha gente de hambre».

«Este será el siglo de los grandes movimientos migratorios, que generarán sociedades multiétnicas».

«Llegaremos a trabajar unas 30 horas a la semana, 10 menos que en la actualidad».

«A partir del año 2020 habrá menos petróleo y utilizaremos diversas fuentes de energía. El hidrógeno será una de las más importantes».

«Hacia el año 2050 estableceremos bases, no ciudades, en la Luna. A finales de siglo colonizaremos Marte, pero el colono será un habitante de una base científica».

«Existirá la escuela virtual, se podrá estudiar por Internet, pero los niños seguirán yendo al colegio».

«No existirá una lengua única, utilizada por todos. Se emplearán las que tengan una gran base demográfica y entren en el mundo de las tecnologías».

«La Tierra estará más contaminada y desaparecerán muchas especies animales».

c) ¿Hay algo que te haya llamado la atención? Díselo a tus compañeros.

2 Como habrás observado, en el texto anterior hemos utilizado un tiempo verbal nuevo, el Futuro. Fíjate e intenta completar este esquema con las terminaciones que faltan (puedes consultar la actividad 1).

FÍJATE EN LA GRAMÁTICA

Futuro

Verbos regulares

		é
trabajar	trabajar-	ás
ser	ser-	....
vivir	vivir-	....
		éis
		....

Verbos irregulares

tener	tendr-	
poder	podr-	
poner	pondr-	é
haber	habr-	ás
saber	sabr-	....
salir	saldr-	....
venir	vendr-	éis
hacer	har-	án
decir	dir-	
querer	querr-	

PRONUNCIACIÓN

3 a) Escucha y marca la sílaba más fuerte.

☐ ☐ ☐ ◼   ☐ ☐ ☐ ◼ ☐   ☐ ◼ ☐   ☐ ◼

b) ¿Sabes por qué algunas llevan tilde en la última sílaba y otras no?

4 En grupos de tres. Por turnos, cada alumno elige una casilla y construye la correspondiente forma verbal en Futuro. Si está bien, escribe su nombre en esa casilla. Gana quien consiga tres en raya.

jugar (usted)	decir (tú)	estar (yo)	tener (ellos)	volver (nosotras)
salir (yo)	leer (él)	hacer (ellas)	ir (tú)	poder (usted)
empezar (nosotros)	sentirse (yo)	saber (ustedes)	ponerse (él)	pedir (vosotras)
levantarse (ella)	ver (usted)	venir (nosotras)	querer (yo)	llegar (ellos)

5 a) Elige cinco o seis palabras nuevas de la actividad 1 que te parezcan útiles.

b) Escribe con ellas frases en las que describas cambios que tendrán lugar a lo largo del siglo XXI.

- Probablemente...
- Estoy seguro/a de que...
- Me imagino que...
- Posiblemente...

c) Pásaselas a tu compañero para que las corrija y te diga si piensa lo mismo que tú.

6 a) Escucha esta conversación entre Marisol y César. ¿Creen que el futuro será mejor que el presente?

b) Escucha de nuevo y anota lo que entiendes en la columna correspondiente.

	CAMBIOS POSITIVOS	CAMBIOS NEGATIVOS
Marisol		
César		

7 a) Y tú, ¿consideras que el mundo del futuro será mejor o peor? Piensa en tu respuesta y arguméntala mencionando cambios que se producirán a lo largo de este siglo.

b) Díselo a tus compañeros. ¿Hay alguno que coincida contigo?

- Yo estoy segura de que será mejor; viviremos mejor porque...
- Pues yo no estoy de acuerdo; yo creo que viviremos peor porque...

c) Haced una votación para averiguar si vuestra clase es optimista o pesimista sobre el futuro.

8 **a)** ¿Qué cambios crees que habrá en tu vida privada y profesional en los próximos veinte años? Piensa, entre otros, en los siguientes puntos:

▣ estado civil	
▣ lugar de residencia	
▣ profesión	
▣ aspecto físico	
▣ relaciones personales	
▣ tiempo libre	
▣ ideas políticas	

b) Coméntaselos a un compañero y averigua si piensa que habrá algún cambio interesante en su vida.

c) Informa a la clase de los cambios más importantes de tu compañero.

En los próximos veinte años, Matt estará...

9 **a]** ¿Conoces el significado de la palabra «superstición»?

b] Observa los dibujos y relaciónalos con las superstiones.

1. Si pasas por debajo de una escalera, tendrás mala suerte.

A

2. Si duermes con un espejo debajo de la almohada, soñarás con tu futuro/a marido/mujer.

B

3. Si tocas madera, se cumplirán tus deseos.

C

4. Si te pones el jersey del revés, tendrás buena suerte.

D

c] ¿Has deducido el significado de las palabras nuevas? Coméntalo con tus compañeros.

¿Lo tienes claro?

10 a) Lee estas supersticiones incompletas y averigua qué significa lo que no entiendas.

- Si te cruzas con un gato negro,...
- Si se te cae una copa de vino sobre la mesa,...
- Si coges el ramo de la novia en una boda,...

b) Utiliza estas pautas para completarlas (de la manera que te parezca más apropiada).

☐ **casarse pronto**   ☐ **tener buena suerte**   ☐ **tener mala suerte**

c) ¿Conoces otras supersticiones? Asegúrate de que sabes cómo se dicen en español y enséñaselas a tus compañeros.

11 a) Piensa en las respuestas a estas preguntas y coméntalas con la clase.

- ¿Existen muchas supersticiones en tu cultura?
- ¿Crees en ellas?
- ¿En qué profesiones consideras que la gente es más supersticiosa?

b) Lee lo que dice un antropólogo y comprueba la respuesta a la última pregunta.

«Podemos decir que generalmente las personas más supersticiosas son las que tienen profesiones más peligrosas o las que no saben qué resultado dará su trabajo. Los toreros, estudiantes, artistas, deportistas y escritores suelen ser muy supersticiosos».

c) Ahora, con la información que tienes, escribe un pequeño texto parecido al del antropólogo.

UN AÑO DE AMOR

1 **a)** Asegúrate de que entiendes estos cuatro versos de una canción. ¿Piensas que será una canción alegre o triste? ¿De qué crees que tratará?

> Si ahora tú te vas, no recuperarás
> Recordarás el sabor de mis besos
> Que los días son eternos y vacíos sin mí
> Y entenderás en un solo momento

b) Lee la letra incompleta y comprueba con las respuestas dadas a las preguntas anteriores. Pregúntale al profesor el significado de las palabras nuevas.

UN AÑO DE AMOR

Lo nuestro se acabó y te arrepentirás
de haberle puesto fin a un año de amor.
Si ahora tú te vas, pronto descubrirás

....

Y de noche, por no sentirte solo,
recordarás nuestros días felices.

....

....

qué significa un año de amor.

¿Te has parado a pensar lo que sucederá,
todo lo que perdemos y lo que sufrirás?

....

los momentos felices que te hice vivir.

Y de noche, por no sentirte solo,
recordarás nuestros días felices.

....

....

qué significa un año de amor.

Luz Casal

c) Ahora complétala con los versos de a) [dos de ellos se repiten].

 d) Escucha la canción y comprueba.

ica Latina

COMUNICACIÓN

Hablar del futuro. Hacer predicciones
La población de la Tierra aumentará mucho durante el siglo XXI.

Expresar hipótesis
No sé si viviremos mejor en el futuro, pero probablemente trabajaremos menos.

Expresar condiciones y sus consecuencias
Si tocas madera, se cumplirán tus deseos.

GRAMÁTICA

Futuro simple
- *Estoy seguro de que*
- *Me imagino que*
- *Probablemente*
- *Posiblemente*

\+ Futuro simple

(Ver resumen gramatical, apartado 3.6)

Si + presente de indicativo, futuro simple
(Ver resumen gramatical, apartado 2.1)

 e] Escúchala de nuevo y lee la letra. Luego comenta con tus compañeros.

- Lo que ha pasado o puede pasar.
- Las consecuencias que menciona la chica.

- «*Lo que ha pasado es que...*».
- «*Si él deja a la chica,...*».

1 JUEGO DE VOCABULARIO

a) Busca en las lecciones 11-15 y haz una lista de seis palabras que te parezcan útiles y te resulten difíciles.

b) Muéstraselas a tu compañero y explícale las que no entienda. Comparad las dos listas y elegid las seis palabras que consideréis más útiles.

c) Dos parejas, por turnos. Una pareja dice una de esas palabras, y la otra imagina y representa un pequeño diálogo incluyéndola. Si lo hace correctamente, obtiene un punto. Gana la pareja que consiga más puntos.

2 a) Repasa los tiempos verbales estudiados en las lecciones 11-15 y anota las formas con las que tengas más dificultades.

b) Comprueba si las recuerda tu compañero y anota las más difíciles de las suyas.

c) Escribe frases incompletas con algunas de las formas de a) y b). No te olvides de especificar el verbo y la persona gramatical. Luego pásaselas a tu compañero para que las complete.

> El sábado, Cecilia fue a una fiesta y
> .... (divertirse, ella) muchísimo.

3 a) Lee estas palabras. Asegúrate de que las entiendes.

compras   dinero   turismo
  limpias   descubierta

b) Lee este anuncio y complétalo con las palabras del apartado anterior.

c) ¿Qué aspectos positivos ofrece Turquía a los turistas? Coméntalo con la clase.

d) Y tú, ¿qué sabes de ese país? ¿Has estado allí alguna vez? ¿Conoces a alguien que haya estado allí? Díselo a tus compañeros.

e) Imagina que estás de vacaciones en Turquía. Escribe una postal a un/a amigo/a y háblale de:

- el lugar donde estás
- el clima
- lo que hiciste ayer y lo que has hecho hoy
- tus planes para los próximos días

4 a) Imagina el último fin de semana de un compañero al que no conozcas mucho. Anota las cosas que crees que hizo y valóralas.

> *El sábado por la tarde fue a ver una película divertidísima y le gustó mucho...*

b) Díselo y comprueba cuántas cosas has adivinado.

> *El sábado por la tarde fuiste a...*

5 ¿VERDADERO O FALSO?

Escucha esta conversación entre dos antiguos compañeros de estudios y de piso, y marca la opción correcta.

	V	F
En su época de estudiantes vivían peor que ahora.	☐	☐
Tenían muy poco tiempo libre.	☐	☐
Eran malos estudiantes y estudiaban poco.	☐	☐
Solían acostarse muy tarde.	☐	☐
En épocas de exámenes estudiaban mucho por la noche.	☐	☐
La casa en la que vivían tenía mucha luz y era muy alegre.	☐	☐
No era muy céntrica.	☐	☐

6 a) Piensa cómo era tu vida hace 10 años y anota cosas que hacías entonces y no haces ahora.

b) Coméntaselas a tu compañero y averigua si coincides con él en algo.

MI VIDA	
Antes	Ahora

7 **a)** ¿Recuerdas cuáles son los dos o tres últimos regalos que has hecho? Piensa cómo puedes describirlos.

b) Descríbeselos a un compañero para que adivine qué regalos eran.

> *Era cuadrado, de tamaño medio y de plástico. Servía para...*

c) Dile a quién le regalaste cada cosa, cuándo y por qué.

> *El... se lo regalé a...*

Objetos	Descripción	Cuándo	Por qué

8 **a)** ¿Qué cambios crees que se producirán en los próximos 25 años? Anótalos en el cuadro.

EN TU PAÍS   EN EL MUNDO

Probablemente...,

b) Compara con un compañero. ¿Coincidís en algo?

c) Coméntale a la clase los cambios más interesantes pronosticados por tu compañero.

9 a) ¿Qué recuerdas de los incas? Responde a las preguntas.

1. ¿Hasta qué año aproximadamente existió el imperio inca?
2. ¿A qué países actuales corresponde el territorio que ocupaba?
3. ¿Cuál era su capital?
4. ¿Cuál era el alimento básico de los incas?
5. ¿Qué recuerdas de sus casas?
6. Según los incas, ¿de quién era hijo el emperador?
7. ¿Quién era el propietario de la tierra que cultivaban los incas?
8. ¿Qué proporcionaba el Estado a los ciudadanos?

b) Compara tus respuestas con las de tu compañero. Si tenéis alguna duda, podéis consultar la lección 13.

10 JUEGO SOBRE ESPAÑA Y AMÉRICA LATINA

a) Piensa en informaciones sobre España o América Latina estudiadas durante el curso y toma nota de ellas. Puedes consultar el libro.

Montevideo es la capital administrativa del Mercosur.

b) Compáralas con las de un compañero y preparad un cuestionario de ocho preguntas sobre esas informaciones.

C U E S T I O N A R I O	
ESPAÑA	**AMÉRICA LATINA**
....	....
....	....
....	....
....	....
....	....
....	....
....	....
....	....

c) Jugad con otros dos compañeros. Hacedles vuestras preguntas y contestad a las suyas. ¿Quiénes dan más respuestas correctas?

Preparación de la tarea

EN GRUPOS DE TRES

A El mes que viene os vais a ir de vacaciones durante una semana a alguna parte, pero aún no sabéis a dónde. Discutidlo y decidid a dónde vais a ir.

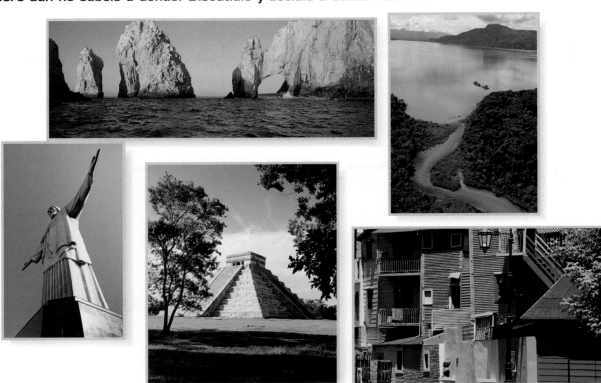

B Haced una lista de toda la información que necesitáis para hacer el viaje:

Medios de transporte, horarios y precios	Clima

Posibilidades de alojamiento y precios	Qué podéis visitar y hacer allí, etcétera.

C Decidid qué información va a buscar cada uno de vosotros, dónde y cómo (en agencias de viaje, aeropuertos, por teléfono...).

Organizar un viaje

1 **Buscad** esa información donde y como habéis decidido en el apartado anterior.

2 **Comentad** al resto del grupo la información obtenida y poneos de acuerdo en cómo vais a hacer el viaje y dónde os vais a alojar. ¡No olvidéis hacer una lista de la ropa y las cosas que tenéis que llevar!

3 **Hablad** a los demás compañeros de vuestro viaje y vuestros planes para esa semana, pero no mencionéis el nombre del lugar al que vais a ir. Ellos tienen que adivinarlo.

resumen gramatical

1 El alfabeto

LETRA	NOMBRE DE LA LETRA	SE PRONUNCIA	EJEMPLO
A, a	a	/a/	La Habana
B, b	be	/b/	Barcelona
C, c	ce	/θ/, /k/	cine, Carmen
D, d	de	/d/	adiós
E, e	e	/e/	España
F, f	efe	/f/	teléfono
G, g	ge	/g/, /x/	Málaga, Ángel
H, h	hache	–	hotel
I, i	i	/i/	Italia
J, j	jota	/x/	Japón
K, k	ka	/k/	kilómetro
L, l	ele	/l/	Lima
M, m	eme	/m/	Madrid
N, n	ene	/n/	no
Ñ, ñ	eñe	/ɲ/	España
O, o	o	/o/	Toledo
P, p	pe	/p/	Perú
Q, q	cu	/k/	Quito
R, r	erre	/r̄/, /r/	guitarra, aeropuerto
S, s	ese	/s/	sí
T, t	te	/t/	teatro
U, u	u	/u/	Uruguay
V, v	uve	/b/	Venezuela
W, w	uve doble	/w/, /b/	whisky, water
X, x	equis	/ks/, /s/	taxi, extranjero
Y, y	i griega	/y/, /i/	yo, Paraguay
Z, z	zeta	/θ/	plaza

Observaciones:

- La letra **h** no se pronuncia en español (hola, hospital).

- Las letras **b** y **v** se pronuncian igual: /b/ (Buenos Aires, Valencia).

- La letra **x** se pronuncia /s/ delante de consonante (*exterior*).

- Las letras **c**, **z** y **q**:

SE ESCRIBE	SE PRONUNCIA
ca	/ka/
que	/ke/
qui	/ki/
co	/ko/
cu	/ku/

- El sonido /r̄/ se escribe con:
  - **rr** entre vocales (*perro*).
  - **r** al principio de palabra (*Roma*) o detrás de **l**, **n** y **s** (alrededor, Enrique, Israel).

En los demás casos, la **r** se pronuncia /r/, por ejemplo, *pero*.

SE ESCRIBE	SE PRONUNCIA
za	/θa/
ce	/θe/
ci	/θi/
zo	/θo/
zu	/θu/

- Las letras **g** y **j**:

SE ESCRIBE	SE PRONUNCIA
ga	/ga/
gue	/ge/
gui	/gi/
go	/go/
gu	/gu/
güe	/gue/
güi	/gui/

SE ESCRIBE	SE PRONUNCIA
ja	/xa/
je, ge	/xe/
ji, gi	/xi/
jo	/xo/
ju	/xu/

2 Posesivos

Los posesivos concuerdan con el sustantivo en género y número.
—Tu**s** herman**os** no viven aquí, ¿verdad?
—Es una amig**a** mí**a**.

2.1. FORMAS ÁTONAS

MASCULINO		FEMENINO	
SINGULAR	PLURAL	SINGULAR	PLURAL
mi	mis	mi	mis
tu	tus	tu	tus
su	sus	su	sus
nuestro	nuestros	nuestra	nuestras
vuestro	vuestros	vuestra	vuestras
su	sus	su	sus

Observaciones:

- Van delante del sustantivo.
  —¿A qué se dedica **tu** padre?

2.2. FORMAS TÓNICAS

MASCULINO		FEMENINO	
SINGULAR	PLURAL	SINGULAR	PLURAL
mío	míos	mía	mías
tuyo	tuyos	tuya	tuyas
suyo	suyos	suya	suyas
nuestro	nuestros	nuestra	nuestras
vuestro	vuestros	vuestra	vuestras
suyo	suyos	suya	suyas

Observaciones:

● Pueden ir:
- Detrás del sustantivo.
  —Un **amigo mío.**
- Detrás del verbo.
  —Ese libro **es tuyo,** ¿no?
- Detrás del artículo y otros determinantes del sustantivo.
  —Mi novia es muy inteligente.
  —**La mía** también.

3 | Verbos

En español hay tres grupos de verbos. El infinitivo puede terminar en -**ar**, -**er** o -**ir.**

3.1. PRESENTE DE INDICATIVO

3.1.1. Verbos regulares

	HABLAR	COMER	VIVIR
(Yo)	hablo	como	vivo
(Tú)	hablas	comes	vives
(Él/ella/usted*)	habla	come	vive
(Nosotros/nosotras)	hablamos	comemos	vivimos
(Vosotros/vosotras)	habláis	coméis	vivís
(Ellos/ellas/ustedes*)	hablan	comen	viven

3.1.2. Verbos irregulares

3.1.2.1. Ser, estar e ir.

	SER	ESTAR	IR
(Yo)	soy	estoy	voy
(Tú)	eres	estás	vas
(Él/ella/usted*)	es	está	va
(Nosotros/nosotras)	somos	estamos	vamos
(Vosotros/vosotras)	sois	estáis	vais
(Ellos/ellas/ustedes*)	son	están	van

* **Usted** y **ustedes** designan a segundas personas, pero se usan con la mismas formas verbales que **él/ella** y **ellos/ellas** (terceras personas).

3.1.2.2. Irregularidades que afectan a las tres personas del singular y a la tercera del plural.

e → ie	o → ue	e → i	u → uy (verbos en -uir)	verbo *jugar* (u → ue)
QUERER	**PODER**	**PEDIR**	**INCLUIR**	**JUGAR**
quiero	puedo	pido	incluyo	juego
quieres	puedes	pides	incluyes	juegas
quiere	puede	pide	incluye	juega
queremos	podemos	pedimos	incluimos	jugamos
queréis	podéis	pedís	incluís	jugáis
quieren	pueden	piden	incluyen	juegan

empezar	volver	decir	influir
pensar	acostarse	repetir	construir
preferir	doler	seguir	destruir
recomendar	acordarse	servir	
comenzar	recordar	elegir	

3.1.2.3. c → zc en la primera persona del singular (verbos en -ecer, -ocer y -ucir)

conocer → conozco   conducir → conduzco   traducir → traduzco

3.1.2.4. Verbos con la primera persona del singular irregular:

hacer → hago   saber → sé
salir → salgo   ver → veo
poner → pongo   dar → doy
traer → traigo

TENER	VENIR
tengo	vengo
tienes	vienes
tiene	viene
tenemos	venimos
tenéis	venís
tienen	vienen

DECIR	OÍR
digo	oigo
dices	oyes
dice	oye
decimos	oímos
decís	oís
dicen	oyen

USOS:

Para expresar lo que hacemos habitualmente.
        —Todos los días **me levanto** a las ocho.
Para dar información sobre el presente.
        —**Está** casada y **tiene** dos hijos.
Para ofrecer y pedir cosas.
        —¿**Quieres** más ensalada?
        —Me **das** una hoja, ¿por favor?
Para hacer sugerencias.
        —¿Por qué no **vas** al médico?
Para hacer invitaciones.
        —¿**Quieres** venir a la playa con nosotros?
Para hablar del futuro.
        —Mañana **actúa** Prince en Barcelona.

3.2. PRETÉRITO INDEFINIDO

3.2.1. Verbos regulares

HABLAR	COMER	SALIR
hablé	comí	salí
hablaste	comiste	saliste
habló	comió	salió
hablamos	comimos	salimos
hablasteis	comisteis	salisteis
hablaron	comieron	salieron

3.2.2. Verbos irregulares

3.2.2.1. Los verbos *ser* e *ir* tienen las mismas formas:

fui
fuiste
fue
fuimos
fuisteis
fueron

3.2.2.2. Verbos de uso frecuente con raíz y terminaciones irregulares:

DORMIR	MORIR
dormí	
dormiste	
durmió	murió
dormimos	
dormisteis	
durmieron	murieron

INFINITIVO	RAÍZ	TERMINACIONES
		e
decir	**dij-**	**iste**
		o
traer	**traj-**	**imos**
		isteis
		eron

INFINITIVO	RAÍZ	TERMINACIONES
tener	**tuv-**	
estar	**estuv-**	**e**
poder	**pud-**	**iste**
poner	**pus-**	**o**
saber	**sup-**	**imos**
andar	**anduv-**	**isteis**
hacer	**hic-/hiz-**	**ieron**
querer	**quis-**	
venir	**vin-**	

3.2.2.3. e → i en las terceras personas de los verbos en e ... ir (excepto decir)

PEDIR
pedí
pediste
pidió
pedimos
pedisteis
pidieron

3.2.2.4. «y» en las terceras personas de la mayoría de los verbos terminados en **vocal** + **er/ir**

LEER
leí
leíste
leyó
leímos
leísteis
leyeron

OÍR
oí
oíste
oyó
oímos
oísteis
oyeron

Otros verbos de uso frecuente con esta irregularidad: crear, influir, construir, destruir.

3.2.2.5. Verbo *dar*

DAR
di
diste
dio
dimos
disteis
dieron

USOS:

Para hablar de acciones o sucesos pasados situados en una unidad de tiempo independiente del presente. Lo utilizamos con referencias temporales tales como **ayer, el otro día, la semana pasada, el mes pasado, el año pasado,** etcétera.

—Ayer **comí** con Cristina.

—El año pasado **estuve** de vacaciones en Irlanda.

3.3. PRETÉRITO PERFECTO

Se forma con el presente de indicativo del verbo **haber** y el participio pasado del verbo que se conjuga.

he has ha hemos habéis han	+ Participio pasado

Formación del participio pasado:

INFINITIVO	PARTICIPIO PASADO
-AR	-ADO
-ER	-IDO
-IR	

(habl**ar** - habl**ado**)

(com**er** - com**ido**)

(ven**ir** - ven**ido**)

Algunos participios pasados irregulares de uso frecuente:

ver → **visto**   abrir → **abierto**

escribir →**escrito**   descubrir → **descubierto**

volver → **vuelto**   romper → **roto**

poner → **puesto**   hacer → **hecho**

morir → **muerto**   decir → **dicho**

O bservaciones:

● La forma del participio pasado es invariable.

—Esta mañana he estad**o** con Luisa.

—Esta mañana hemos estad**o** con Rosa y con Carlos.

● El participio pasado va siempre inmediatamente detrás del verbo **haber.**

—Hoy me **he levantado** muy pronto.

—Aún no **he cenado.**

USOS:

Para hablar de acciones o sucesos pasados situados en una unidad de tiempo en la que se encuentra el hablante, o que este siente próximos al presente.

Lo usamos con referencias temporales tales como **hoy, esta mañana, esta semana, este mes, hace un rato,** etcétera.

—Hoy **he comido** con Ramón.

—Este verano **ha hecho** mucho calor.

Para hablar de experiencias o actividades pasadas sin especificar el momento de su realización.

—Miguel **ha estado** muchas veces en París.

Para referirnos a acciones o sucesos pasados que tienen consecuencias en el presente.

—Perdona por llegar tarde, pero es que **he tardado** mucho en encontrar este sitio.

3.4. PRETÉRITO IMPERFECTO

3.4.1. Verbos regulares

TRABAJAR	COMER	VIVIR
trabaj**aba**	com**ía**	viv**ía**
trabaj**abas**	com**ías**	viv**ías**
trabaj**aba**	com**ía**	viv**ía**
trabaj**ábamos**	com**íamos**	viv**íamos**
trabaj**abais**	com**íais**	viv**íais**
trabaj**aban**	com**ían**	viv**ían**

3.4.2. Verbos irregulares

SER	IR	VER
era	**iba**	**veía**
eras	**ibas**	**veías**
era	**iba**	**veía**
éramos	**íbamos**	**veíamos**
erais	**ibais**	**veíais**
eran	**iban**	**veían**

USOS:

Para describir personas, lugares y cosas en pasado.

—Cuando **era** pequeño, **era** moreno y un poco gordo.

—Mi habitación **era** bastante pequeña, pero muy bonita, y **tenía** balcón.

Para hablar de acciones habituales en el pasado.

—De pequeño **iba** mucho al campo con mis padres. En verano **solíamos** ir a la playa.

—A los nueve años **iba** a clase de música dos veces por semana.

3.5. IMPERATIVO AFIRMATIVO

-AR	-ER	-IR	
entr**a**	le**e**	abr**e**	(tú)
entr**e**	le**a**	abr**a**	(usted)
entr**ad**	le**ed**	abr**id**	(vosotros)
entr**en**	le**an**	abr**an**	(ustedes)

O bservaciones:

● Tú: el imperativo afirmativo es igual a la tercera persona singular del presente de indicativo.

—**Toma**.

—**Sigue** todo recto...

—¿Puedo cerrar la ventana?

—Sí. *Cierra, cierra.*

Expresiones:

hacer → **haz**   salir → **sal**

poner → **pon**   decir → **di**

venir → **ven**   ir → **ve**

tener → **ten**   ser → **sé**

● Los verbos irregulares en la primera persona del presente de indicativo tienen la misma irregularidad en el imperativo afirmativo de las personas **usted** y **ustedes.**

Cierro → c**ie**rre, c**ie**rren.
Pido → p**i**da, p**i**dan.
Ha**g**o → ha**g**a, ha**g**an.

Excepciones:

Ir → **vaya, vayan.**
Ser → **sea, sean.**
Estar → **esté, estén.**
Dar → **dé, den.**

● **Vosotros**: el imperativo afirmativo se construye sustituyendo la **r** final del infinitivo por una **d.**

Estudiar → estudia**d.**
Venir → veni**d.**
Salir → sali**d.**

Pero en los verbos reflexivos, esa forma (**sentad,** por ejemplo) pierde la **d.** A veces se usa el infinitivo.

—¿Podemos sentarnos?
—*Sí, sí.* ***Sentaos*** / ***sentaros.***

● Los pronombres van detrás del imperativo afirmativo, formando con este una sola palabra.

—¿Puedo abrir la puerta? Es que tengo mucho calor.
—*Sí, sí.* ***Ábrela.***

USOS:

Para dar instrucciones.

—Oiga, perdone, ¿el restaurante Villa está cerca de aquí?
—*Sí, muy cerca.* **Siga** *todo recto y* **gire** *la primera a la derecha...*

Para ofrecer cosas.

—**Coge, coge** otro pastel, que están muy buenos.

Para conceder permiso.

—¿Puedo bajar un poco el volumen de la tele?
—*Sí, sí.* ***Bájalo.***

3.6. FUTURO SIMPLE

3.6.1. Verbos regulares

TRABAJAR	SER	VIVIR
trabaj**aré**	ser**é**	vivir**é**
trabaj**arás**	ser**ás**	vivir**ás**
trabaj**ará**	ser**á**	vivir**á**
trabaj**aremos**	ser**emos**	vivir**emos**
trabaj**aréis**	ser**éis**	vivir**éis**
trabaj**arán**	ser**án**	vivir**án**

3.6.2. Verbos irregulares de uso frecuente

TENER:	tendr	
PODER:	podr	
PONER:	pondr	**é**
HABER:	habr	**ás**
SABER:	sabr	**á**
SALIR:	saldr	+ **emos**
VENIR:	vendr	**éis**
HACER:	har	**án**
DECIR:	dir	
QUERER:	querr	

USOS:

Para hacer planes futuros.

—En verano **iré** a la montaña.

Para hacer predicciones sobre el futuro.

—En la segunda mitad del siglo XXI **habrá** bases en la Luna y algunos científicos **vivirán** en ellas.

Para expresar hipótesis sobre el futuro.

Estoy seguro/a de que	
Me imagino que	+ futuro simple
Probablemente	
Posiblemente	

—**Estoy segura de que** en el futuro el cáncer **tendrá** curación.

—**Posiblemente iré** a México el verano que viene.

Para expresar las consecuencias de determinadas condiciones (ver apartado 21.)

Si abres un paraguas dentro de casa, **tendrás** mala suerte.

3.7. GERUNDIO

Verbos regulares

-AR	-ER	-IR
-ando	**-iendo**	**-iendo**

(trabaj**ando**) (com**iendo**) (escrib**iendo**)

—Verbos en **e ... ir:** cambio vocálico **e _ i**

De**c**ir .... **di**ciendo.

—En la mayoría de los verbos terminados en **vocal** + **er/ir** → **y**

Leer → le**y**endo.

Oír → o**y**endo.

—Pero

Reír → r**i**endo.

—**o → u**

Dormir → d**u**rmiendo.

Morir → m**u**riendo.

4 Pronombres personales

4.1. SUJETO

	1ª PERSONA	2ª PERSONA	3ª PERSONA
singular	**yo**	**tú**	**él**
		usted	**ella**
plural	**nosotros** **nosotras**	**vosotros** **vosotras**	**ellos** **ellas**
		ustedes	

4.2. OBJETO DIRECTO

	1ª PERSONA	2ª PERSONA	3ª PERSONA
singular	**me**	**te**	**lo/le**
		lo/le/la	**la**
plural	**nos**	**os**	**los/les**
		los/les/las	**las**

4.3. OBJETO INDIRECTO

	1ª PERSONA	2ª PERSONA	3ª PERSONA
singular	me	te	le
		le	
plural	nos	os	les
		les	

4.4. REFLEXIVOS

	1ª PERSONA	2ª PERSONA	3ª PERSONA
singular	me	te	se
		se	
plural	nos	os	se
		se	

4.5. PREPOSICIÓN + PRONOMBRE PERSONAL

	1ª PERSONA	2ª PERSONA	3ª PERSONA
singular	mí	ti	él
		usted	ella
plural	nosotros	vosotros	ellos
		vosotras	
	nosotras	ustedes	ellas

Observaciones:

● Normalmente no usamos el pronombre personal sujeto porque las terminaciones del verbo indican qué persona realiza la acción.

—¿Cómo te llamas? **(tú).**

● Lo utilizamos para dar énfasis al sujeto o para marcar una oposición.

—**Yo** trabajo en un banco.
—*Pues yo soy estudiante.*

● **Yo** y **tú** no pueden combinarse con preposiciones; en ese caso se sustituyen por las formas correspondientes: **mí** y **ti.**

—¿Esto es para **mí?**
—*Sí, sí. Para ti.*

● Cuando van precedidas de la preposición **con,** usamos unas formas diferentes: **conmigo** y **contigo.**

—¿Quieres venir al cine **conmigo?**

● Los pronombres personales de objeto directo, indirecto y reflexivos van delante del verbo conjugado.

—¿Cómo **la** quiere, ancha o estrecha?
—¿**Te** gusta?
—¿**Os** acostáis muy tarde?

● Pero cuando los combinamos con el imperativo afirmativo, van siempre detrás, formando una sola palabra con el verbo.

—¿Me puedo sentar?
—*Sí, sí. Siéntese.*

● Con infinitivo y gerundio, pueden ir detrás de estas formas verbales, formando una sola palabra, o delante del verbo conjugado.

—Voy a duchar**me** = **me** voy a duchar.
—Está duchándo**se** = **se** está duchando.

5 Interrogativos

5.1. ¿QUIÉN? ¿QUIÉNES?

¿Quién/quiénes + verbo?
Para preguntar por la identidad de personas en general.

—**¿Quién** es?
—*Laura, mi profesora de español.*

—**¿Quiénes** son esos niños?
—*Mis primos de Valencia.*

5.2. ¿QUÉ?

5.2.1. ¿Qué + verbo?

5.2.1.1. Para preguntar por la identidad de cosas en general.

—**¿Qué** es eso?

5.2.1.2. Para preguntar por acciones.

—**¿Qué** vas a hacer esta noche?
—*Voy a ir al teatro con Ernesto.*

5.2.2. ¿Qué + sustantivo + verbo?

Para preguntar por la identidad de personas o cosas de una misma clase.

—**¿Qué** lenguas hablas?
—*Inglés e italiano.*

—**¿Qué** actores españoles te gustan?
—*Luis Ciges y Paco Rabal.*

5.3. ¿CUÁL? ¿CUÁLES?

¿Cuál / cuáles + verbo?
Para preguntar por la identidad de personas o cosas de una misma clase.

—**¿Cuál** es la moneda de tu país?
—*El franco belga.*

—**¿Cuál** te gusta más? (de esos dos cantantes).
—*Fernando Usuriaga.*

5.4. ¿DÓNDE?

¿Dónde + verbo?
Para preguntar por la localización en el espacio.

—**¿Dónde** vives?
—*En Málaga.*

5.5. ¿CUÁNDO?

¿Cuándo + verbo?
Para preguntar por la localización en el tiempo.

—**¿Cuándo** te vas de vacaciones?
—*El sábado.*

5.6. ¿CUÁNTO?, ¿CUÁNTA?, ¿CUÁNTOS?, ¿CUÁNTAS?

Para preguntar por la cantidad.

5.6.1. ¿Cuánto + verbo?

—**¿Cuánto** cuesta esta agenda?
—*Siete euros.*

5.6.2. ¿Cuánto / cuánta / cuántos / cuántas [+ sustantivo] + verbo?

—**¿Cuántas** hermanas tienes?
—*Dos.*

5.7. ¿CÓMO?

¿Cómo + verbo?

5.7.1. Para preguntar por las características de personas o cosas.

—**¿Cómo** es tu profesor?
—*Alto, rubio, bastante gordo... y muy simpático.*

5.7.2. Para preguntar por el modo.

—**¿Cómo** vienes a clase?
—*En bicicleta.*

5.8. ¿POR QUÉ?

¿Por qué + verbo?

Para preguntar por la causa o la finalidad.

—**¿Por qué** estudias español?

Observaciones:

● Los interrogativos pueden ir precedidos de determinadas preposiciones.

—**¿De** dónde es?
—**¿A** qué te dedicas?
—**¿Con** quién vives?

● **¿Por qué? – porque**

—**¿Por qué** estudias ruso? (PREGUNTA).
—***Porque*** *quiero ir de vacaciones a Moscú* (RESPUESTA).

6 Ser - Estar

6.1. SER

- Identidad.
    —**Eres la hermana de Gloria,** ¿verdad?

- Origen, nacionalidad.
    —Luciano Pavarotti **es italiano.**

- Profesión.
    —**Soy ingeniero.**

- Descripción de personas, objetos y lugares.
    —**Es alta, morena** y lleva gafas.
    —Tu coche **es negro,** ¿no?
    —**Es** una ciudad **pequeña y muy tranquila.**

- Descripción o valoración del carácter de una persona.
    —Mi hermano pequeño **es muy gracioso.**

- La hora.
    —¡Ya **son las dos!**

- Materia.
    —Esa camisa **es de algodón,** ¿verdad?

- Localización en el tiempo.
    —Mi cumpleaños **es el 7 de mayo.**

- Posesión.
    —**¿Es tuyo** este periódico?
    —*No,* **es de Ricardo.**

- Valoración de objetos, actividades y períodos de tiempo.
    —Este diccionario **es muy bueno.**
    —El viaje **fue muy agradable.**
    —Hoy **ha sido** un día **horrible.**

6.2. ESTAR

- Localización en el espacio.
    —El quiosco **está enfrente del bar.**

- Estados físicos o anímicos de personas.
    —¿Estás cansada?
    —*Sí,* ***estoy cansadísima.***
    —**Estás muy contento,** ¿no?

- Circunstancias o estados de objetos y lugares.
    —¿Funciona esta radio?
    —*No,* ***está rota.***
    —¿Ya **está abierta** la farmacia?

- Valoración de alimentos consumidos.
    —**¡Qué bueno está** este filete!

- Descripción de situaciones (**estar** + gerundio).
    —¿Qué hace la niña?
    —***Está jugando*** *en el patio.*

7 También, tampoco, sí, no

- **También, tampoco:** para expresar coincidencia o acuerdo con lo que ha dicho otra persona.

- **También** responde a frases afirmativas; **tampoco,** a frases negativas.
    —Yo vivo con mis padres.
    —***Yo también.***
    —Me gusta mucho este disco.
    —*A mí* ***también.***

    —No tengo coche.
    —***Yo tampoco.***
    —No me gustan las discotecas.
    —*A mí* ***tampoco.***

- **Sí, no:** para expresar coincidencia o desacuerdo con lo que ha dicho otra persona.

- **Sí** responde a frases negativas; **no,** a frases afirmativas.
    —No tengo coche.
    —*Yo* ***sí.***
    —No me gustan las discotecas.
    —*A mí* ***sí.***

    —Yo vivo con mis padres.
    —*Yo* ***no.***
    —Me gusta mucho este disco.
    —*A mí* ***no.***

O bservaciones:

- En las respuestas de este tipo de diálogos usamos siempre pronombres personales (**yo, tú, él,** etcétera); a veces van precedidos de preposición (**a mí, a ti, a él,** etcétera).

    —Estudio Sociología.
    —***Yo*** *también.*

    —No me gusta nada este libro.
    —***A mí*** *tampoco.*

8 Expresión de la frecuencia

8.1. PARA EXPRESAR FRECUENCIA, PODEMOS UTILIZAR:

+	**siempre**
	casi siempre
	normalmente / generalmente
	a menudo
	a veces
	casi nunca (no ... casi nunca)
–	**nunca (no ... nunca)**

—¿Cómo vienes a clase?
—*En autobús.*
—Pues yo vengo **siempre** en metro / **siempre** vengo en metro / vengo en metro **siempre.**

—¿Cómo vienes a clase?
—*En autobús.*
—¡Ah! Pues yo **no** vengo **nunca** en autobús / **nunca** vengo en autobús.

8.2. TAMBIÉN PODEMOS USAR ESTAS EXPRESIONES DE FRECUENCIA:

todos los	días/lunes/martes/...
	meses
	años
todas las	semanas

=

cada	día/lunes/martes/...
	mes
	año
	semana

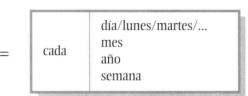

una vez	al	día
		mes
		año
dos veces / tres veces / ...	a la	semana
	por	

(una vez)	cada	dos/tres/...	días semanas meses años

—Tú vas al cine **a menudo,** ¿verdad?
—*Sí, **dos o tres veces a la semana.***
—Voy al gimnasio **una vez a la semana.**

9 Cantidad: demasiado, muy, mucho, bastante, poco

demasiado **muy** **bastante** **poco**	+	adjetivo adverbio

demasiado/a/os/as **mucho/a/os/as** **bastante/s** **poco/a/os/as**	+ sustantivo

verbo	+	**demasiado** **mucho** **bastante** **poco**

—Es **demasiado** joven.
—¿Estás **muy** cansado?
—Tus padres son **bastante** jóvenes, ¿no?
—Es **muy poco** inteligente.
—Vas **demasiado** rápido.
—¿Está **muy** lejos?
—Está **bastante** mal situada.
—Vivo **un poco** lejos de aquí.

—Hay **demasiada** gente.
—Yo trabajo **muchos** fines de semana.
—Esta tarde he hecho **bastantes** cosas.
—Hoy hay **pocos** alumnos en clase.

—Bebes **demasiado.**
—¿Estudias **mucho?**
—Habla **bastante.**
—Últimamente salgo **poco.**

10 Muy, mucho

• MUY

$$muy \ + \begin{cases} \text{adjetivo} \\ \text{adverbio} \end{cases}$$

—Mi habitación es **muy** pequeña.
—¿Qué tal estás?
—*Muy bien. ¿Y tú?*

• MUCHO, MUCHA, MUCHOS, MUCHAS

$$mucho/a/os/as \ + \ \text{sustantivo}$$

—En esta calle hay **muchos** bares.
—Hoy tengo **mucho** sueño.

• MUCHO

$$verbo \ + \ mucho$$

—Yo trabajo **mucho.**

Observaciones:

● **Muy** no modifica nunca a sustantivos.
—Tengo ~~muy~~ amigos aquí. *(Tengo **muchos** amigos aquí).*

● Tampoco funciona como adverbio independiente.
—Me duele ~~muy~~ *(Me duele **mucho**).*

● **Mucho** no modifica nunca a adjetivos ni a adverbios.
—Es ~~mucho~~ alto. *(Es **muy alto**).*
—Habla ~~mucho~~ bien. *(Habla **muy bien**).*

11 Frases exclamativas

¡**Qué** + adjetivo (+ verbo)!
—¡**Qué** guapo!
—¡**Qué** grande es!
¡**Qué** + sustantivo (+ verbo)!
—¡**Qué** calor!
—¡**Qué** sed tengo!

¡**Qué** + adverbio (+ verbo)!
—¡**Qué** bien!
—¡**Qué** mal!
—¡**Qué** mal escribe!
—¡**Qué** pronto es!

USOS: Las exclamaciones sirven para valorar positiva o negativamente algo o a alguien, expresar sorpresa, admiración, desagrado o contrariedad.

12 Algo, nada; alguien, nadie

	COSAS	PERSONAS
(Identidad indeterminada)	algo	alguien
(Inexistencia)	nada	nadie

— ¿Quiere **algo** más?
—Esta semana **no** hay **nada** interesante en la cartelera.
—¿Hay **alguien** en clase?
—*No, **no** hay **nadie**.*

13 Comparaciones con adjetivos

SUPERIORIDAD	**más** + adjetivo + **que**
IGUALDAD	**tan** + adjetivo + **como**
	no + verbo + **tan** + adjetivo + **como**
INFERIORIDAD	**menos** + adjetivo + **que**

— Mi abuela es **más** graciosa **que** mi abuelo.
— Este restaurante es **tan** caro **como** el otro.
— El español **no** es **tan** difícil **como** el alemán.

Comparativos irregulares:
    bueno → **mejor**
    malo → **peor**
    grande (edad) → **mayor**
    pequeño (edad) → **menor**
    grande (tamaño) → **mayor/más grande**
    pequeño (tamaño) → **menor/ más pequeño**

    — Este disco es **mejor que** ese.

O bservaciones:

● Muchas veces no se menciona el segundo término de la comparación porque está claro en el contexto.
    —¿Cuánto cuesta esta camisa?
    —*Treinta euros.*
    —¿Y la azul?
    —*Setenta y dos. Es **más** cara pero es **mejor,** es de seda.*

14 Estar + gerundio

Cuando usamos **estar** con el gerundio de otro verbo, nos referimos a una acción que se realiza en el momento en el que estamos hablando o del que estamos hablando.

    —¿Y Julia?
    —***Está trabajando.***

15 Ir + a + infinitivo

Para expresar planes y proyectos.
    —¿**Vas a salir** esta noche?
    —*Creo que no.*
    —En enero **voy a empezar** a estudiar árabe.

Para hablar del futuro.
    —Raúl dice que mañana **va a nevar.**

16 Tener que - Hay que

16.1. TENER + QUE + INFINITIVO

Para expresar obligación o necesidad de manera personal.
    —**Tengo que terminar** esta carta antes de la una.
    —¿Nos vemos esta tarde?
    —*Esta tarde no puedo. Es que **tengo que estudiar.***

16.2. HAY + QUE + INFINITIVO

Para expresar obligación o necesidad de manera impersonal.
    —Para entrar en la Universidad, **hay que aprobar** el examen de ingreso.
    —Para aprobar ese examen, **hay que estudiar** mucho.

17 Ya - aún / Todavía no

Para indicar que una acción prevista o previsible se ha realizado antes del momento en el que nos referimos a ella, utilizamos **ya.**

> —**Ya** he visitado la Sagrada Familia y me ha gustado mucho.

Y para indicar que esa acción no se ha realizado antes del momento en el que nos referimos a ella, usamos **aún no** o **todavía no.**

> —**Aún no** he visitado la Sagrada Familia.
> —**Todavía no** ha empezado la clase.

18 Valoración de actividades y hechos pasados

Para valorar actividades y hechos pasados, podemos usar las siguientes construcciones:

- **Ser + bueno/ malo**
  > —¿Qué tal la conferencia de esta mañana?
  > —Ha **sido buenísima**, *me ha gustado mucho.*
  > —El concierto de ayer **fue** muy **bueno.**

- **Estar + bien/ mal**
  > —¿Qué tal la fiesta del viernes?
  > —**Estuvo** muy **bien**. *Había mucha gente y me lo pasé muy bien.*

- **Parecer + adjetivo**
  > —¿Has visto la exposición del Palacio de Cristal?
  > —*Sí, fui ayer con Paloma.*
  > —¿Y qué te **pareció**?
  > —*Bastante* **original**.
  > —Pues yo la vi el domingo y me **pareció horrible.**

19 El superlativo absoluto

19.1. EL SUPERLATIVO ABSOLUTO SIGNIFICA LO MISMO QUE MUY + ADJETIVO Y SE FORMA DE DOS MANERAS:

- Sustituyendo la vocal del adjetivo por –ísimo/ a/ os/ as.
  - Interesante → interesant**ísimo**
  - Divertido → divertid**ísimo**
  - Aburrido → aburrid**ísimo**
  - Bueno → buen**ísimo**
  - Malo → mal**ísimo**

> —¿Qué tal el concierto de anoche?
> —*Horrible. Fue un concierto mal**ísimo**.*

- Si el adjetivo termina en consonante, se añade –ísimo/ a/ os/ as.
  - Fácil → facil**ísimo**
  - Difícil → dificil**ísimo**

> —¿Qué tal el examen de italiano?
> —*Muy bien, ha sido un examen facil**ísimo**.*

19.2. ALGUNOS ADJETIVOS TIENEN SIGNIFICADO SUPERLATIVO Y NO PODEMOS AÑADIRLES LAS TERMINACIONES -ÍSIMO / A / OS / AS:

Horrible.
Horroroso.
Estupendo.
Precioso.
—La conferencia de ayer fue horrible.
—La verdad es que tienes una casa preciosa.

20 | Descripción de objetos

• Para referirse al tamaño, a la forma, al color...: **ser + adjetivo**
—Es bastante pequeña, estrecha, larga, gris y roja.

• Expresar utilidad: **servir para + infinitivo**
—Sirve para cortar.

• Expresar de qué está hecho un objeto: **ser + de + sustantivo**
—Es de plástico y metal.

• Posesión:
Ser + de + nombre de persona
—Es de Rosa.

Ser + posesivo (forma tónica)
—¿Es tuyo?
—*Sí, es mío.*
—¿Son vuestras esas cosas?
—*Sí, son nuestras.*

21 | Condiciones y sus consecuencias

Para expresar condiciones y las consecuencias que tendrán en el futuro, podemos emplear esta construcción.

(Condición)   (Consecuencia)
Si + presente de indicativo...,   futuro simple
Si pasas por debajo de la escalera, **tendrás** mala suerte.

22 El acento

En español existen tres tipos de palabras según la posición de la sílaba fuerte: agudas, llanas y esdrújulas.

AGUDAS ☐ ☐ ■

es pa **ñol**
co **lor**
ca **fé**

Todas las palabras agudas que terminan en **vocal**, **n** o **s** llevan acento gráfico (´).

—So**fá**, panta**lón**, ha**blé**.

LLANAS ☐ ■ ☐

ca **mi** sa
ca sa
ven **ta** na

Ponemos acento gráfico en todas las palabras llanas que terminan en consonante, excepto **n** o **s**.

—Di**fí**cil, **ár**bol, **lá**piz.

ESDRÚJULAS ■ ☐ ☐

mú si ca
mé di co
plá ta no

Todas las palabras esdrújulas llevan acento gráfico.

—A**mé**rica, **rá**pido, te**lé**fono.

Observaciones:

● Todas las formas interrogativas y exclamativas llevan acento gráfico:

—**qué, quién, cómo, cuánto**...

● Las palabras de una sola sílaba no llevan acento gráfico; sin embargo, lo utilizamos para diferenciar palabras que tienen la misma forma y distinto significado.

—¿Cuál es **tu** bolígrafo?
—**Tú** hablas francés, ¿verdad?

—¿**El** cine Rex, por favor?
—¿Vas a ir con **él?**

—¿Tienes **mi** dirección?
—¿Es para **mí?**

—¿**Te** gusta el **té?**
—No **sé** cómo **se** llama tu amigo.